설탕이 잘못되었습니다.

당신은 설탕으로부터 안전한가요?
그냥두면, 두고두고 후회할 설탕 이야기

박웅

설탕이 잘못되었습니다.

발   행 | 2023년 4월 21일

저   자 | 박웅

디 자 인 | 어비, 미드저니

편   집 | 어비

펴 낸 이 | 송태민

펴 낸 곳 | 열린 인공지능

등   록 | 2023.03.09(제2023-16호)

주   소 | 서울특별시 영등포구 영등포로 112

전   화 | (0505)044-0088

이 메 일 | book@uhbee.net

ISBN | 979-11-93084-33-5

설탕이 잘못되었습니다.

박웅

목차

머리말

2021년 세계 영양보고서에 따르면, 세계 인구의 절반이 과체중이고, 세계보건가구(WHO)는 비만과의 전쟁을 선포했다. 우리나라도 당뇨 인구 500만명을 넘겼으며, 특히 20,30대 젊은 당뇨인의 비중이 늘어나고 있다고 한다. 그중 비만의 주요 원인이 설탕이 들어 있는 가당 음료라고 했다.

우리는 우리가 간과하고 있던 설탕을 비롯한 가당 식품들에 대해 알아보고, 설탕을 대체할 수 있는 천연감미료를 통해, 평생의 난제인 당뇨와 다이어트에서 건강을 되찾을 수 있는 단초를 발견하길 바라는 마음에 책을 썼다.

이 책을 통해, 아이들과 가족의 먹거리를 책임지고 있는 30,40대 엄마들이 가까이 두고, 당분을 경계하고, 평생 안 먹을 수 없는 설탕에 대해, 대체할 수 있고 바꿀 수 있는 식습관을 형성을 통해, 가족 건강에 도움이 되기를 바란다.

‘

저자 소개

저자 박웅은 유전공학을 전공하고 I'm NOT Sugar(아임낫슈거)라는 제로 슈거 브랜드를 운영 중이다. 2021년부터 스테비아 토마토 브랜드인 〈하루토망고〉를 런칭하여, 스테비아 과채 및 가공품을 연구 개발하고 있다.

당뇨가 있으신 어머님으로 인해 일찍부터 제로 슈거, 제로 칼로리 식품 등에 관심을 가지게 되었고, 설탕을 대체할 수 있는 천연당 제품들의 효능을 보고, 천연감미료 제품들을 출시하게 되었다. 다섯 살 쌍둥이 아이들을 키우며, 아이들이 어린시절부터 설탕을 대체하는 천연당과 식품에 익숙해 진다면, 건강한 식습관을 기를 수 있겠다는 생각으로 아이들이 익숙하게 먹을 수 있는 천연감미료와 대체당 제품 등을 추가로 개발하고 있다.

01
설탕의 위험성

Chapter 01. 설탕이 건강에 미치는 영향

설탕은 현대인의 식단에서 필수품이 되었지만 설탕을 과도하게 섭취하면 건강에 심각한 결과를 초래할 수 있습니다. 설탕 과다 섭취의 가장 즉각적인 영향은 체중 증가이며, 이는 비만으로 이어질 수 있습니다. 비만은 전 세계 많은 국가에서 주요 건강 문제로 대두되고 있으며, 당뇨병 및 심장병과 같은 여러 가지 관련 건강 문제와 관련이 있습니다.

설탕이 건강에 미치는 영향을 보여주는 한 가지 실제 사례는 미선씨라는 여성의 경우입니다. 미선씨는 항상 체중 문제로 고민했지만, 특히 스트레스가 많은 새 직장을 시작한 후 이를 극복하기 위해 점점 더 단 음식과 음료를 많이 섭취하기 시작했습니다. 시간이 지나면서 사라의 체중은 비만으로 간주될 정도로 증가했습니다. 결국 그녀는 비만 및 설탕 섭취와 밀접한 관련이 있는 제2형 당뇨병 진단을 받았습니다.

수많은 연구에 따르면 과도한 설탕 섭취는 심장병의 주요 위험 요인으로 밝혀졌습니다. 미국의학협회지에 발표된 한 연구에 따르면 첨가당으로 하루 칼로리의 25% 이상을 섭취하는 사람은 첨가당으로 하루 칼로리의 10% 미만을 섭취하는 사람에 비해 심장병으로 사망할 확률이 2배 이상 높았습니다.

또 다른 실제 사례는 항상 활동적이고 건강했던 50대 초반의 넘싱 상식씨의 경우입니다. 그러나 스트레스와 우울증에 시달리던 존은 이를 극복하기 위해 점점 더 많은 단 음식과 음료를 섭취하기 시작했습니다. 몇 년이 지나지 않아 존은 심장병의 위험 요인인 고혈압과 고콜레스테롤 혈증이 생겼습니다. 그의 의사는 이러한 건강 문제가 과도한 설탕 섭취 때문이라고 진단했습니다.

과도한 설탕 섭취는 체중과 심장 건강에 미치는 영향 외에도 충치, 염증, 특정 암 발생 위험 증가와 같은 다른 건강 문제와도 관련이 있습니다. 한 연구에 따르면 고당분 식단을 섭취하는 여성은 저당분 식단을 섭취하는 여성보다 자궁내막암에 걸릴 확률이 3배 이상 높은 것으로 나타났습니다.

Chapter 02. 식품에 숨겨진 당분

많은 사람이 사탕, 쿠키, 단 음료에 첨가당이 많이 들어 있다는 사실은 알고 있지만, 요거트나 그래놀라 바처럼 건강에 좋아 보이는 식품을 포함하여 다양한 식품에 첨가당이 들어 있다는 사실은 잘 모르고 있을 수 있습니다. 이 하위 장에서는 첨가당의 다양한 명칭을 살펴보고 숨겨진 설탕이 함유된 일반적인 식품의 실제 사례를 소개합니다.

*첨가당의 다양한 이름

식품에 숨겨진 설탕을 식별하는 첫 번째 단계는 성분 목록에서 무엇을 찾아야 하는지 아는 것입니다. 안타깝게도 첨가당에는 다양한 이름이 있어 이를 식별하기 어려울 수 있습니다. 첨가당의 일반적인 이름은 다음과 같습니다:

자당 Sucrose

고과당 옥수수 시럽 High fructose corn syrup

덱스트로스 Dextrose

글루코스 Glucose

과당 Fructose

맥아당 Maltose

유당 Lactose

이러한 당류는 구운 식품과 디저트부터 소스 및 조미료에 이르기까지 다양한 식품에 함유되어 있습니다. 예를 들어, 케첩에는 큰 스푼당 최대 4g의 첨가당이 함유되어 있으며, 맛 요거트 1회 제공량에는 최대 20g의 첨가당이 함유되어 있습니다.

*숨겨진 설탕이 함유된 일반적이 식품이 에

- 그래놀라 바

많은 사람이 건강한 간식 옵션으로 그래놀라 바를 찾지만, 대부분의 사전 포장된 그래놀라 바에는 첨가당이 들어 있습니다. 실제로 영양 연구 저널에 발표된 연구에 따르면 그래놀라 바의 거의 90%가 첨가당을 함유하고 있으며, 일부 그래놀라 바에는 1회 제공량당 12g의 첨가당이 들어 있는 것으로 나타났습니다.

- 요거트

요거트는 종종 건강 식품으로 판매되지만, 많은 종류의 요거트에는 첨가당이 들어 있습니다. 예를 들어, 향이 첨가된 요거트 1회 제공량에는 설탕 5티스푼에 해당하는 최대 20g의 첨가당이 함유되어 있을 수 있습니다.

- **소스 및 조미료**

케첩, 바베큐 소스, 샐러드 드레싱과 같은 소스와 조미료에도 숨겨진 당이 함유되어 있을 수 있습니다. 예를 들어, 바비큐 소스 1회 제공량에는 최대 10g의 첨가당이 함유되어 있고 샐러드 드레싱 1회 제공량에는 최대 15g의 첨가당이 함유되어 있을 수 있습니다.

- **청량음료**

청량음료는 잘 알려진 첨가당 공급원이지만, 청량음료에 함유된 설탕의 양은 놀라울 수 있습니다. 탄산음료 한 캔에는 설탕 10티스푼에 해당하는 최대 40g의 첨가당이 함유되어 있습니다.

결론

첨가당에 대한 다양한 명칭을 알고 식료품을 구입할 때 식품 라벨을 주의 깊게 읽는 것이 중요합니다. 이렇게 하면 섭취하는 식품에 대해 더 많은 정보를 바탕으로 결정을 내리고 전반적인 설탕 섭취량을 줄일 수 있습니다.

과도한 설탕 섭취가 건강의 주요 문제인 것은 분명합니다. 설탕 섭취를 줄이고 건강한 식습관을 실천하면 비만, 당뇨병, 심장병 및 기타 건강 문제의 위험을 줄일 수 있습니다.

Chapter 03. 설탕의 심리적 영향

설탕은 신체 건강뿐만 아니라 정신 건강에도 큰 영향을 미칩니다. 이 챕터에서는 설탕이 뇌에 어떤 영향을 미치고 중독과 갈망으로 이어질 수 있는지 살펴봅니다. 또한 설탕에 대한 갈망을 관리하고 설탕에 대한 의존도를 줄이기 위한 전략에 대해서도 논의할 것입니다.

*설탕이 뇌에 미치는 영향

설탕을 섭취하면 뇌는 쾌락과 보상과 관련된 도파민이라는 화학 물질을 방출합니다. 도파민은 운동이나 사랑하는 사람과 시간을 보내는 등 기분을 좋게 만드는 활동을 할 때 분비되는 것과 같은 화학 물질입니다. 시간이 지남에 따라 설탕을 계속 섭취하면 뇌가 도파민에 둔감해져 같은 수준의 쾌락과 보상을 얻기 위해 점점 더 많은 설탕이 필요할 수 있습니다. 이는 설탕 중독과 갈망으로 이어질 수 있습니다.

*설탕 중독의 실제 사례

두 아이의 엄마인 35세의 미선씨는 성인 생활의 대부분을 설탕 중독으로 고생해 왔습니다. 그녀는 배가 고프지 않을 때에도 하루 종일 단 간식을 찾게 됩니다. 특히 오후가 되면 피곤하고 짜증이 자주 나며 집중력이 떨어집니다. 사라는 과거에도 설탕 섭취를 줄이려고 노력했지만, 설탕에 대한 갈망이 너무 강해서 결국 포기하고 말았습니다.

28세의 그래픽 디자이너인 화연씨는 자신도 모르게 설탕을 많이 섭취하곤 했습니다. 아침에는 설탕이 든 시리얼이나 가당 요구르트를, 오후에는 탄산음료나 가당 커피를, 저녁 식사 후에는 디저트를 자주 먹곤 했습니다. 그녀는 설탕이 없으면 불안하고 안절부절못하며 기분 기복이 심하다는 것을 알게 되었습니다. 설탕이 건강에 미치는 영향에 대해 알게 된 후 제니는 설탕을 서서히 줄이기로 결심했습니다. 아침 시리얼을 오트밀로 바꾸고 오후에 마시는 탄산음료의 양을 줄이는 것부터 시작했습니다. 시간이 지나면서 설탕에 대한 갈망이 줄어들고 더 활기차고 집중력이 높아졌다는 것을 알게 되었습니다.

*설탕 갈망 관리를 위한 전략

설탕 중독이나 설탕에 대한 갈망으로 어려움을 겪고 있다면, 이를 관리하기 위해 사용할 수 있는 몇 가지 전략이 있습니다.

1. 설탕 섭취량을 점진적으로 줄이세요: 갑자기 설탕을 끊는 대신 설탕 섭취량을 서서히 줄여보세요. 이렇게 하면 신체가 낮은 당 수치에 적응하고 당에 대한 갈망

의 심각성을 줄이는 데 도움이 될 수 있습니다.

2. 균형 잡힌 식사를 합니다: 단백질, 건강한 지방, 섬유질이 포함된 균형 잡힌 식사를 하면 포만감과 만족감을 유지하여 설탕에 대한 갈망을 줄이는 데 도움이 될 수 있습니다.

3. 건강한 대체 식품 찾기: 단 음식이 당길 때는 과일이나 작은 다크 초콜릿 같은 건강한 대안을 찾아보세요.

4. 충분한 수면을 취합니다: 수면 부족은 단 음식에 대한 갈망을 증가시킬 수 있으므로 충분한 휴식을 취하세요.

5. 스트레스 관리: 스트레스는 설탕에 대한 갈망을 유발할 수 있으므로 운동, 명상 또는 심호흡과 같은 건강한 스트레스 관리 방법을 찾는 것이 도움이 될 수 있습니다.

*설탕을 줄이는 실제 사례

42세의 회계사인 성민씨는 하루에 탄산음료 캔을 여러 개씩 마시고 도넛이나 캔디바 같은 단 간식을 자주 즐기곤 했습니다. 과체중이었고 고혈압과 콜레스테롤 수치가 높았습니다. 건강에 대한 두려움을 느낀 후 마크는 식단에 변화를 주기로 결심했습니다. 탄산음료와 단 간식을 끊고 대신 물과 견과류, 과일과 같은 건강에 좋은 간식을 선택했습니다. 또한 집에서 더 많은 식사를 요리하고 가공식품 대신 통식품을 선택하기 시작했습니다. 시간이 지나면서 마크는 체중이 줄고 건강이 개선되었으며 더 이상 예전처럼 설탕을 갈망하지 않게 되었습니다.

결론

설탕 중독과 설탕에 대한 갈망은 정신 건강과 전반적인 웰빙에 큰 영향을 미칠 수 있습니다. 설탕이 뇌에 미치는 영향을 이해하고 갈망을 관리하기 위한 전략을 실행하면 설탕에 대한 의존도를 줄이고 건강을 개선할 수 있습니다. 설탕 감소의 실제 사례는 다음과 같은 효과를 입증합니다.

Chapter 04. 설탕을 구분하는 식품 라벨 읽기

포장 식품과 가공 식품이 널리 유통되고 소비되는 오늘날에는 식품 라벨을 읽고 정보에 입각한 선택을 하는 것이 중요합니다. 다른 많은 국가와 마찬가지로 한국에서도 식품 라벨은 우리가 구매하는 식품의 영양 성분과 함량에 대한 중요한 정보를 제공합니다. 이 섹션에서는 식품 라벨을 읽는 것의 중요성과 식품 라벨을 이해하는 방법에 대해 설명합니다.

*식품 라벨을 읽는 것이 중요한 이유는 무엇인가요?

1. 식품 라벨을 읽는 것은 여러 가지 이유로 중요합니다 첨가당 식별에 도움이 됩니다: 이전 장에서 설명했듯이 설탕을 과도하게 섭취하면 비만, 당뇨병, 심장병 등 여러 가지 건강 문제가 발생할 수 있습니다. 하지만 많은 식품에는 당이 숨겨져 있어 바로 알 수 없는 경우가 많습니다. 식품 라벨을 읽으면 식품에 함유된 당의 양과 종류를 파악하고 당 섭취량에 대해 정보에 입각한 결정을 내릴 수 있습니다.

2. 다른 건강 상태를 관리하는 데 도움이 됩니다: 식품 라벨은 지방, 콜레스테롤, 나트륨 함량 등 식품의 영양

성분에 대한 중요한 정보를 제공합니다. 이러한 정보는 고혈압, 고콜레스테롤혈증, 알레르기와 같은 건강 질환이 있는 개인에게 특히 중요할 수 있습니다.

3. 식사량 조절에 도움이 됩니다: 식품 라벨은 1회 제공량과 용기당 제공 횟수에 대한 정보도 제공합니다. 이 정보는 식사량을 관리하고 과식을 예방하는 데 유용할 수 있습니다.

*식품 라벨 이해하기

식품 라벨은 복잡하고 혼란스러울 수 있지만, 몇 가지 기본 지식만 있으면 쉽게 이해할 수 있습니다. 다음은 식품 라벨을 읽을 때 주의해야 할 몇 가지 주요 사항입니다:

1. 1회 제공량: 이 정보는 해당 식품의 권장 1회 제공량과 용기당 제공 횟수를 알려줍니다.

2. 칼로리: 이 정보는 음식의 1회 제공량에 포함된 칼로리를 알려줍니다.

3. 영양소: 식품 라벨에는 일반적으로 지방, 콜레스테롤, 나트륨, 탄수화물, 섬유질, 설탕, 단백질 등 1회 제공량 당 영양소의 양이 표시되어 있습니다.

4. 하루 영양소 기준치: 하루 영양소 기준치(DV)는 식품 1회 제공량이 일일 권장 섭취량과 비교하여 특정 영양소의 양을 알려줍니다.

5. 성분: 성분 목록에는 식품에 사용된 모든 성분이 무게 내림차순으로 나열되어 있습니다.

*오해의 소지가 있는 식품 라벨

안타깝게도 식품 라벨은 오해의 소지가 있을 수 있으므로 주의 깊게 읽는 것이 중요합니다. 예를 들어, '저지방'이라고 표시된 식품도 설탕 함량이 높을 수 있고, '천연'이라고 표시된 제품도 인공 성분이 함유되어 있을 수 있습니다. 또한 일부 제품은 실제보다 더 건강한 것처럼 보이게 하기 위해 잘못된 1회 제공량을 표시할 수도 있습니다. 이러한 이유로 식품 라벨을 주의 깊게 읽고 식품 제조업체가 사용하는 일반적인 마케팅 전략을 인식하는 것이 중요합니다.

결론

결론적으로, 식품 라벨을 읽는 것은 식품 선택에 있어 정보에 입각한 결정을 내리는 데 중요한 단계입니다. 우리가 섭취하는 식품의 영양 성분과 함량을 이해하면 더 건강한 선택을 할 수 있고 전반적인 건강을 더 잘 관리할 수 있습니다. 식품 라벨은 압도적이고 혼란스러울 수 있지만, 몇 가지 기본 지식만 있으면 쉽게 이해할 수 있으며 정보에 입각한 결정을 내리는 데 도움이 되는 중요한 정보를 제공할 수 있습니다.

Chapter 05. 아동 비만과 설탕

소아 비만은 한국을 포함한 전 세계 여러 지역에서 증가하고 있는 문제입니다. 보건복지부의 최근 연구에 따르면 한국 어린이와 청소년의 비만 유병률은 지난 10년간 꾸준히 증가해 현재 어린이 5명 중 1명 이상이 과체중 또는 비만으로 분류되고 있습니다.

소아 비만의 원인에는 여러 가지가 있지만, 가장 중요한 요인 중 하나는 설탕 섭취입니다. 설탕은 많은 어린이 식단에서 공허한 칼로리의 주요 공급원이며, 과다 섭취 시 체중 증가 및 관련 건강 문제를 일으킬 수 있습니다.

미국 질병통제예방센터(CDC)에서 실시한 한 연구에 따르면 설탕이 첨가된 음료(SSB)를 많이 섭취하는 어린이는 적게 섭취하는 어린이보다 과체중 또는 비만이 될 가능성이 더 높다고 합니다. 가당 음료는 탄산음료, 스포츠음료, 과일 맛 음료 등 당분이 첨가된 음료를 말합니다.

미국 영양 및 식이요법 학회지에 발표된 또 다른 연구에 따르면 첨가당을 많이 섭취하는 어린이는 총 콜레스테롤 수치가 높고 나중에 심장병에 걸릴 위험이 더 높다고 합니다.

설탕은 체중 증가 및 관련 건강 문제에 직접적인 영향을 미칠 뿐만 아니라 어린이의 건강에 해로운 식습관에도 영향을 미칠 수 있습니다. 어린이가 설탕을 너무 많이 섭취하면 단 음식과 음료에 대한 선호도가 높아져 과일과 채소처럼 영양이 풍부한 건강한 음식을 즐기기가 더 어려워질 수 있습니다.

안타깝게도 설탕은 부모가 의심하지 못하는 많은 식품에 숨어 있습니다. 예를 들어 아침 시리얼, 그래놀라 바, 향이 첨가된 요거트 등 어린이를 대상으로 판매되는 많은 가공식품에는 다량의 설탕이 함유되어 있습니다.

아동 비만 및 관련 건강 문제의 위험을 줄이려면 부모가 자녀가 섭취하는 식품의 당 함량에 주의를 기울이는 것이 중요합니다. 세계보건기구는 어린이가 첨가당으로 섭취하는 칼로리가 하루 칼로리의 10%를 넘지 않도록 권장하고 있습니다. 국내에서는 식품의약품안전처에서 소비자가 포장 식품의 당 함량을 빠르게 확인할 수 있는 신호등 표시제를 도입했습니다.

*부모님들도 자녀의 건강한 식습관을 위해 다음과 같은 조치를 취할 수 있습니다:

1. 탄산음료 및 과일 주스와 같은 단 음료 제한하기

2. 단 음료 대신 물이나 우유 제공

3. 자녀에게 다양한 과일과 채소를 섭취하도록 권장하기

4. 설탕이 많이 첨가된 가공식품과 간식 제한하기

5. 건강한 식습관을 스스로 모델링하여 모범을 보이기

6. 설탕이 소아 비만에 미치는 영향을 인식하고 자녀의 식단에서 설탕 섭취를 줄이기 위한 조치를 취함으로써 부모는 가족의 건강하고 행복한 삶을 증진하는 데 도움을 줄 수 있습니다.

Chapter 06. 설탕과 정신 건강

설탕은 종종 비만이나 당뇨병과 같은 신체 건강 문제와 관련이 있지만 정신 건강에도 부정적인 영향을 미칠 수 있습니다. 이 챕터에서는 설탕 섭취와 불안 및 우울증과 같은 정신 건강 상태 사이의 연관성에 대해 살펴봅니다.

*설탕과 정신 건강의 연관성

연구에 따르면 다량의 설탕을 섭취하면 우울증이나 불안과 같은 정신 건강 장애가 발생할 위험이 높아질 수 있다고 합니다. 사이언티픽 리포트 저널에 발표된 한 연구에 따르면 설탕을 많이 섭취하는 사람은 정신 건강 문제가 발생할 위험이 더 높다고 합니다. 이 연구는 8,000명 이상의 사람들을 추적 관찰한 결과, 하루에 설탕을 67g 이상 섭취하는 사람은 40g 미만을 섭취하는 사람에 비해 우울증에 걸릴 위험이 23% 더 높다는 사실을 발견했습니다.

미국 임상 영양학회지(American Journal of Clinical Nutrition)에 발표된 또 다른 연구에 따르면 설탕과 가공식품이 많이 함유된 식단은 불안과 우울증 발병 위험 증가와 관련이 있는 것으로 나타났습니다. 이 연구는 8,000명 이상의 사람들을 추적 관찰한 결과 설탕과 가공식품이 많이 함유된 식단을 섭취하는 사람들은 건강한 식단을 섭취하는 사람들에 비해 불안과 우울증에 걸릴 위험이 58% 더 높다는 사실을 발견했습니다.

*설탕이 뇌에 미치는 영향

설탕은 뇌의 보상 체계에 직접적인 영향을 미쳐 중독과 갈망을 유발할 수 있습니다, 설탕을 섭취하면 뇌는 쾌락과 보상과 관련된 신경전달물질인 도파민을 분비합니다. 이 도파민 방출은 행복감과 행복감을 느끼게 하여 더 많은 설탕을 섭취하려는 욕구를 강화할 수 있습니다.

그러나 장기간에 걸쳐 높은 수준의 설탕을 섭취하면 뇌의 도파민 수용체가 감소할 수 있습니다. 즉, 뇌가 도파민에 덜 민감해져 쾌락과 보상을 경험하는 능력이 저하될 수 있습니다. 도파민 수용체가 감소하면 뇌가 동일한 수준의 쾌락과 보상을 얻기 위해 더 많은 도파민을 찾게 되므로 설탕에 대한 갈망이 증가하게 될 수도 있습니다.

*실제 사례

설탕 섭취를 줄인 후 정신 건강이 개선된 사람들의 실제 사례는 많이 있습니다. 수년간 불안과 우울증으로 고생했던 두 아이의 엄마 미선씨는 그 중 한 예입니다. 설탕과 정신 건강 사이의 연관성에 대해 읽은 후, 사라는 가공식품과 단 음료를 끊어 설탕 섭취를 줄이기로 결심했습니다. 몇 주 만에 미선씨의 정신 건강이 크게 개선되고 불안과 우울증 증세가 줄어드는 것을 느꼈습니다.

또 다른 예로 수년 동안 단 음식 중독으로 고생했던 대학생 주환씨가 있습니다. 주환씨는 스트레스를 받거나 불안할 때마다 단 음식을 갈망하고 단 간식을 다량으로 폭식하는 경우가 많다는 사실을 알게 되었습니다. 치료사와 영양사의 도움을 받은 주환씨는 설탕 섭취량을 줄이고 단 음식에 대한 중독에서 벗어날 수 있었습니다. 불안감과 우울감이 줄어드는 등 정신 건강이 크게 개선되었음을 알게 되었습니다.

*설탕 섭취량 관리를 위한 전략

설탕 섭취를 줄이는 것은 특히 단 음식에 중독된 사람들에게는 어려운 일일 수 있습니다. 하지만 설탕 섭취를 관리하고 갈망을 줄이는 데 도움이 되는 전략이 많이 있습니다. 여기에는 다음이 포함됩니다:

1. 점진적인 감소: 한 번에 모든 설탕을 끊기보다는 시간을 두고 서서히 설탕 섭취를 줄여보세요. 이렇게 하면 설탕에 대한 갈망을 최소화하고 저당 식단으로 쉽게 전환할

수 있습니다.

2. 설탕 섞어쓰기: 설탕이 든 스낵과 음료를 과일, 견과류, 물과 같은 건강한 대체 식품으로 바꾸세요. 이렇게 하면 단 음식에 대한 욕구를 충족시키면서 설탕 섭취를 줄이는 데 도움이 될 수 있습니다.

3. 마음가짐 변화: 음식의 맛과 질감에 주의를 기울여 마음 챙김 식습관을 실천하세요. 이렇게 하면 식욕을 줄이고 석은 양으로도 만족감을 높일 수 있습니다.

4. 충분한 수면을 취하세요: 수면 부족은 단 음식에 대한 갈망을 증가시킬 수 있습니다. 매일 충분한 수면을 취하세요.

Chapter 07. 설탕 섭취를 줄이는 방법

설탕 섭취를 줄이는 것은 어려운 일이 될 수 있지만 전반적인 건강을 개선하고 다양한 건강 문제의 위험을 줄이는 데 필수적입니다. 이 하위 장에서는 일상 생활에서 설탕 섭취를 줄이기 위한 몇 가지 실용적인 팁과 전략에 대해 설명합니다.

*작은 변화부터 시작하세요

식단을 크게 바꾸는 것은 부담스러울 수 있으므로 작은 것부터 시작하는 것이 가장 좋습니다. 설탕이 든 음료 대신 물, 차, 커피를 무설탕으로 바꾸는 것부터 시작하세요. 쿠키나 사탕과 같은 단 간식 대신 신선한 과일을 간식으로 선택하세요. 설탕이 많이 함유된 가공식품 대신 채소, 과일, 저지방 단백질 공급원과 같은 자연 식품으로 점차 대체하세요.

*식품 라벨 읽기

포장 식품에 함유된 설탕의 양을 파악하려면 식품 라벨을 읽는 것이 필수적입니다. 설탕은 고과당 콘시럽, 과당, 포도당, 자당, 포도당, 포도당 등 다양한 이름으로 표시될 수 있다는 점에 유의하세요. 라벨의 성분표를 확인하면 식품에 첨가된 설탕의 출처를 파악하는 데 도움이 될 수 있습니다.

*집에서 요리하기

집에서 요리하면 음식의 설탕 양을 포함하여 사용하는 재료를 조절할 수 있습니다. 설탕이 첨가된 가공식품을 피하고 집에서 식사와 간식을 준비하세요. 요리할 때 정제 설탕 대신 꿀이나 메이플 시럽 같은 천연 감미료를 사용하세요.

*저당 대체 식품 선택하기

식료품 쇼핑을 할 때는 좋아하는 음식과 음료에 설탕 함량이 낮은 대체품을 선택하세요. 예를 들어, 무설탕 또는 저당 음료를 선택하고, 첨가당이 많이 들어 있는 향이 첨가된 요거트 대신 플레인 요거트를 선택하세요.

*식사량에 주의하세요

건강에 좋은 음식이라도 너무 많이 먹으면 해로울 수 있습니다. 식사량을 염두에 두고 천천히 한 입 한 입 즐기면서 먹도록 노력하세요. 외식할 때는 디저트를 친구나 가족과 함께 나눠 먹거나 양을 적게 선택하는 것이 좋습니다.

***설탕 욕구를 충족하는 더 건강한 방법 찾기**

설탕에 대한 갈망은 흔한 일이며, 이를 충족시킬 수 있는 더 건강한 방법을 찾는 것이 중요합니다. 사탕이나 초콜릿을 찾는 대신 과일 한 조각이나 견과류 한 줌을 먹어 보세요. 설탕이 들어 있지 않은 차나 커피를 마시거나 밀크 초콜릿보다 설탕 함량이 적은 다크 초콜릿을 먹는 것도 좋은 방법입니다.

***수분 유지**

하루 종일 물을 충분히 마시면 설탕에 대한 갈망을 줄이는 데 도움이 될 수 있습니다. 탈수 증상은 종종 배고픔이나 설탕에 대한 갈망으로 오인될 수 있으므로 신체 기능을 올바르게 유지하려면 수분을 충분히 섭취하는 것이 중요합니다.

***실제 사례:**

많은 사람이 이러한 팁과 전략을 따라 설탕 섭취량을 줄이는 데 성공했습니다. 한 가지 예로, 두 아이의 엄마로 단 음료와 간식을 자주 섭취하던 미선씨를 들 수 있습니다. 그녀는 설탕이 든 음료를 물로 대체하고 간식으로 신선한 과일을 선택하는 것으로 작게 시작하기로 결정했습니다. 점차적으로 그녀는 집에서 요리를 하고 장 볼 때 저당 식품으로 바꾸기 시작했습니다. 몇 달 후, 그녀는 체중이 감소하고 에너지 수준이 향상되는 등 전반적인 건강이 크게 개선되었음을 알게 되었습니다.

*연구 결과:

설탕 섭취를 줄이면 건강 개선 효과가 있다는 연구 결과도 있습니다. 예를 들어, 미국의학협회 저널에 발표된 연구에 따르면 설탕 섭취를 줄이면 혈압, 중성지방, 콜레스테롤 수치가 그게 개선되는 것으로 나타났습니다. 영양학 저널에 발표된 또 다른 연구에 따르면 설탕 섭취를 줄이면 기분과 인지 기능이 개선되는 것으로 나타났습니다.

결론:

설탕 섭취를 줄이는 것은 어려울 수 있지만, 전반적인 건강을 개선하고 다양한 건강 문제의 위험을 줄이기 위한 필수 단계입니다. 작은 변화부터 시작하여 식품 라벨을 읽고, 집에서 요리하고, 저당 대체 식품을 선택하고, 식사량에 주의하고, 설탕 욕구를 충족시킬 수 있는 더 건강한 방법을 찾고, 수분을 충분히 섭취하면 설탕 섭취량을 성공적으로 줄일 수 있습니다.

02
천연 감미료

Chapter 08. 천연 감미료 소개

천연 감미료는 최근 몇 년 동안 정제 설탕과 인공 감미료의 대안으로 인기를 얻고 있습니다. 천연 감미료는 과일, 채소, 꿀과 같은 식물에서 추출하기 때문에 '천연'으로 간주됩니다. 이 하위 장에서는 다양한 종류의 천연 감미료와 그 잠재적인 건강상의 이점에 대해 살펴봅니다.

가장 인기 있는 천연 감미료 중 하나인 꿀은 달콤한 맛과 약효로 수천 년 동안 사용되어 왔습니다. 꿀에는 항산화제, 비타민, 미네랄이 풍부하며 항균 및 항염 효과가 있는 것으로 밝혀졌습니다. 제빵, 요리, 음료의 감미료로 정제 설탕을 대체할 수 있는 훌륭한 재료입니다.

또 다른 천연 감미료는 단풍나무 수액에서 추출한 메이플 시럽입니다. 메이플 시럽에는 항산화제와 아연, 망간과 같은 미네랄이 함유되어 있으며 정제 설탕보다 혈당 지수가 낮아 혈당 수치를 조절하는 데 도움이 될 수 있습니다. 베이킹에 설탕을 대체할 수 있을 뿐만 아니라 팬케이크와 와플의 토핑으로도 인기가 높습니다.

스테비아는 스테비아 식물의 잎에서 추출한 천연 감미료입니다. 칼로리가 없고 단맛의 강도가 높기 때문에 칼로리 섭취를 줄이려는 사람들에게 인기가 높습니다. 스테비아는 혈당 수치와 혈압을 낮추는 등 잠재적인 건강 효능이 있는 것으로 나타났습니다. 스테비아는 일반적으로 음료와 제빵에 감미료로 사용됩니다.

또 다른 천연 감미료는 수도사 열매 식물의 열매에서 추출한 수도사 열매 추출물입니다. 칼로리가 없고 설탕과 비슷한 단맛을 냅니다. 수도사 열매 추출물은 항산화 및 항염증 효과를 포함한 잠재적인 건강상의 이점이 있으며 혈당 수치에 긍정적인 영향을 미칠 수 있는 것으로 나타났습니다. 일반적으로 음료와 제빵에 감미료로 사용됩니다.

코코넛 설탕은 최근 인기를 얻고 있는 또 다른 천연 감미료입니다. 코코넛 야자수액에서 추출한 것으로 정제 설탕보다 혈당지수가 낮습니다. 칼륨, 마그네슘, 아연과 같은 미네랄이 풍부하고 캐러멜과 같은 맛이 납니다. 코코넛 설탕은 베이킹과 요리에서 정제 설탕을 대신할 수 있는 훌륭한 대안입니다.

천연 감미료는 정제 설탕과 인공 감미료의 훌륭한 대안입니다. 천연 감미료는 다양한 잠재적 건강상의 이점을 제공하며 식물성 원료에서 추출됩니다. 그러나 천연 감미료를 과도하게 섭취하면 비만이나 당뇨병과 같은 건강 문제를 일으킬 수 있으므로 적당히 섭취해야 한다는 점을 기억하는 것이 중요합니다. 요리와 베이킹에 천연 감미료를 사용할 때는 권장량과 조리 시간을 준수하여 원하는 맛과 식감을 유지하는 것도 중요합니다.

Chapter 09. 천연 감미료의 장점

천연 감미료는 정제 설탕과 인공 감미료의 대안으로 점점 더 인기를 얻고 있습니다. 천연 감미료의 건강상 이점에 대해서는 아직 논란이 있지만, 많은 연구에서 천연 감미료가 기존 설탕에 비해 여러 가지 이점이 있다고 제안하고 있습니다.

*낮은 혈당 지수

천연 감미료의 주요 이점 중 하나는 정제 설탕에 비해 혈당 지수(GI)가 낮다는 점입니다. 혈당 지수는 탄수화물이 함유된 식품이 혈당 수치를 얼마나 빨리 올리는지를 나타내는 척도입니다. 혈당 지수가 높은 식품은 혈당을 급격히 상승시키는 반면, 혈당 지수가 낮은 식품은 혈당을 점진적으로 상승시킵니다.

연구에 따르면 고혈당 식품을 자주 섭취하면 제2형 당뇨병, 심장병 및 기타 만성 건강 질환의 발병 위험이 높아질 수 있다고 합니다. 꿀, 메이플 시럽, 코코넛 설탕과 같은 천연 감미료는 정제 설탕보다 GI 수치가 낮기 때문에 흡수가 더 느리고 혈당 수치에 더 부드러운 영향을 미칩니다.

*영양소 함량

천연 감미료의 또 다른 장점은 영양소 함량입니다. 가공 과정에서 비타민과 미네랄이 모두 제거되는 정제 설탕과 달리, 많은 천연 감미료에는 유익한 영양소가 함유되어 있습니다. 예를 들어, 꿀은 항산화 물질이 풍부하고 항균 및 항염 작용이 있습니다. 메이플 시럽에는 칼슘, 철분, 아연과 같은 미네랄이 함유되어 있으며 당밀은 철분, 칼슘, 칼륨의 좋은 공급원입니다.

*자연상태에 가까운 단맛

천연 감미료는 일반적으로 정제 설탕보다 덜 가공되어 자연 상태에 더 가깝고 첨가물 함량이 적습니다. 예를 들어 꿀은 꿀벌이 채집한 꽃의 꿀을 농축한 것이고, 메이플 시럽은 단풍나무의 수액을 시럽으로 끓인 것입니다. 반면 정제 설탕은 가공이 많이 되어 표백제, 화학물질, 방부제와 같은 첨가물이 들어 있는 경우가 많습니다.

*낮은 칼로리

천연 감미료는 여전히 설탕의 한 형태이며 칼로리를 함유하고 있지만, 일부는 기존 설탕보다 칼로리가 낮습니다. 예를 들어, 꿀 한 스푼에는 64칼로리가 들어 있는 반면, 같은 양의 과립 설탕에는 48칼로리가 들어 있습니다. 차이가 크지 않을 수도 있지만 천연 감미료를 선택하면 전체 칼로리 섭취량을 줄이는데 도움이 될 수 있습니다.

*요리에 독특한 풍미를 더할 수 있습니다

천연 감미료는 잠재적인 건강상의 이점 외에도 요리에 독특한 맛과 향을 더할 수 있습니다. 예를 들어, 메이플 시럽은 팬케이크와 와플을 보완하는 풍부하고 스모키한 맛을 내며, 꿀은 차나 제과류에 꽃향기를 더합니다. 코코넛 슈가는 캐러멜과 같은 풍미가 있어 디저트에 잘 어울리고, 당밀은 쌉쌀한 맛이 강해 제빵과 짭짤한 요리의 풍미를 향상시킬 수 있습니다.

전반적으로 천연 감미료는 정제 설탕이나 인공 감미료에 비해 몇 가지 잠재적인 건강상의 이점을 제공합니다. 그러나 천연 감미료는 여전히 설탕의 한 형태이므로 균형 잡힌 식단의 일부로 적당히 섭취해야 한다는 점을 기억하는 것이 중요합니다. 또한 건강상의 이점을 극대화하려면 최소한의 가공을 거친 고품질 천연 감미료를 선택하는 것이 중요합니다.

Chapter 10. 천연 감미료를 활용한 베이킹

베이킹을 좋아하지만 설탕 섭취를 줄이고 싶은 분이라면 천연 감미료를 사용하는 것이 좋은 대안이 될 수 있습니다. 천연 감미료는 단맛을 제공할 뿐만 아니라 기존 설탕에는 없는 추가적인 영양소와 건강상의 이점을 제공합니다. 이 장에서는 베이킹에 천연 감미료를 사용하는 방법을 살펴보고 집에서 시도해 볼 수 있는 몇 가지 맛있는 레시피를 소개합니다.

*천연 감미료의 종류

레시피를 살펴보기 전에 베이킹에 사용할 수 있는 가장 인기 있는 천연 감미료 몇 가지를 살펴봅시다:

1. 꿀: 꿀은 꿀벌이 꽃의 꿀로 만든 천연 감미료입니다. 꿀에는 항산화제, 효소, 항균 성분이 함유되어 있어 설탕보다 건강에 좋은 대안이 될 수 있습니다.

2. 메이플 시럽: 메이플 시럽은 단풍나무 수액으로 만들어지며 망간, 아연, 칼슘과 같은 미네랄이 함유되어 있습니다. 또한 설탕보다 혈당 지수가 낮기 때문에 혈당 수치를 급격히 상승시키지 않습니다.

3. 코코넛 설탕: 코코넛 설탕은 코코넛 야자수 수액으로 만들어지며 철분, 아연, 칼륨과 같은 미네랄이 풍부하게 함

유되어 있습니다. 또한 설탕보다 혈당 지수가 낮고 캐러멜과 같은 풍미가 있어 베이킹에 잘 어울립니다.

4. 스테비아: 스테비아는 스테비아 식물의 잎에서 추출한 천연 감미료입니다. 혈당 수치에 영향을 주지 않는 제로 칼로리 감미료로, 당뇨병이 있거나 체중 감량을 시도하는 분들에게 좋은 선택입니다.

5. 대추야자: 대추야자는 베이킹에 사용할 수 있는 천연 감미료입니다. 섬유질과 칼륨이 풍부하며 달콤하고 끈적끈적한 식감이 필요한 레시피에서 설탕 대용으로 사용할 수 있습니다.

*천연 감미료를 사용한 베이킹 팁

베이킹에 천연 감미료를 사용할 때는 기존 설탕과 같은 방식으로 작용하지 않는다는 점을 명심하는 것이 중요합니다. 다음은 몇 가지 유의해야 할 팁입니다:

1. 천연 감미료는 일반적으로 설탕보다 더 강력하므로 레시피에서 설탕을 적게 사용해야 합니다. 처음에는 적은 양으로 시작하여 필요에 따라 조절하는 것이 좋습니다.

2. 천연 감미료는 설탕과 식감이 다를 수 있으므로 이를 보완하기 위해 레시피에서 액체의 양을 조절해야 할 수 있

습니다.

3. 천연 감미료는 특유의 향이 있을 수 있으므로 제빵 제품의 전반적인 풍미에 어떤 영향을 미칠지 염두에 두세요.

4. 천연 감미료는 또한 제빵 제품이 더 빨리 갈색으로 변할 수 있으므로 제빵 제품을 잘 관찰하고 필요에 따라 베이킹 시간을 조정하세요.

이제 몇 가지 기본 사항을 살펴보았으니 천연 감미료를 사용한 맛있는 레시피를 소개해 드리겠습니다.

허니 귀리 빵

재료: 다용도 밀가루 2컵, 말린 귀리 1컵, 꿀 1/4 컵 ,활성 건조이스트 1큰술. 소금 1/2작은술, 따뜻한 물 1컵, 올리브 오일 2큰술

만드는 방법

- 큰 볼에 밀가루, 귀리, 이스트, 소금을 넣고 섞으세요.

- 별도의 볼에 꿀, 따뜻한 물, 올리브 오일을 넣고 섞으세요.

- 마른 재료에 젖은 재료를 넣고 반죽이 될 때까지 저어줍

니다.

- 반죽이 부드럽고 탄력이 생길 때까지 5~10분간 반죽합니다.

- 반죽을 기름칠한 볼에 넣고 뚜껑을 덮은 후 1시간 동안 부풀어 오르게 합니다.

- 오븐을 375°F로 예열합니다.

- 반죽을 덩어리 모양으로 만들어 기름을 바른 빵틀에 넣습니다.

- 반죽이 부풀어 오르도록 30분간 더 기다립니다.

- 빵이 노릇노릇해질 때까지 35~40분간 굽습니다.

Chapter 11. 천연 감미료를 활용한 요리법

천연 감미료를 요리에 활용하면 맛은 그대로 유지하면서 설탕 섭취량을 줄일 수 있는 좋은 방법입니다.

1. 단맛의 정도를 파악하세요: 꿀, 메이플 시럽, 아가베 꿀과 같은 천연 감미료는 설탕보다 단맛이 강한 경우가 많으므로 같은 수준의 단맛을 내기 위해 더 적은 양을 사용해야 할 수도 있습니다.

2. 풍미를 고려하세요: 천연 감미료마다 요리의 맛을 향상시킬 수 있는 다양한 풍미가 있습니다. 예를 들어 메이플 시럽은 팬케이크에 어울리는 진하고 흙냄새가 나는 반면, 꿀은 차나 마리네이드에 어울리는 꽃향기가 나는 단맛이 있습니다.

3. 대체 재료를 실험해 보세요: 베이킹할 때 설탕 대신 천연 감미료를 1:1 또는 2:3의 비율(설탕 1컵에 천연 감미료 1컵 또는 천연 감미료 2/3컵)로 대체할 수 있습니다. 단, 베이킹한 제품의 식감이 달라질 수 있으므로 먼저 소량으로 실험해 보는 것이 좋습니다.

4. 적당히 사용하세요: 천연 감미료는 설탕을 대체할 수 있는 건강한 대체재이지만 여전히 적당히 사용해야 합니다. 천연 감미료는 여전히 칼로리와 탄수화물을 함유하고 있으므로 섭취량에 유의하는 것이 중요합니다.

*다음은 천연 감미료를 사용한 몇 가지 레시피입니다:

- 메이플 글레이즈드 연어: 작은 그릇에 메이플 시럽 1/4컵, 간장 2큰술, 다진 마늘 1쪽을 넣고 섞어줍니다. 혼합물을 연어 필레 위에 붓고 400°F에서 10~12분간 굽습니다.

- 허니 머스타드 치킨: 작은 볼에 꿀 1/4컵, 디종 머스터드 2큰술, 올리브 오일 1큰술을 넣고 휘젓습니다. 혼합물을 닭 가슴살에 바르고 375°F에서 20~25분간 굽습니다.

- 바나나 귀리 팬케이크: 블렌더에 잘 익은 바나나 2개, 달걀 2개, 말린 귀리 1/2컵, 바닐라 추출물 1티스푼을 넣고 섞습니다. 반죽을 붙지 않는 팬에 굽고 메이플 시럽을 뿌립니다.

- 시나몬 애플 크리스프: 큰 볼에 얇게 썬 사과 4개, 메이플 시럽 1/4컵, 옥수수 전분 1큰술, 시나몬 1작은술을 넣고 섞어줍니다. 혼합물을 베이킹 접시에 붓고 그 위에 말린 귀리 1컵, 아몬드 가루 1/4컵, 녹인 코코넛 오일 1/4컵, 메이플 시럽 1/4컵을 섞은 혼합물을 올립니다. 375°F에서 30~35분간 굽습니다.

천연 감미료를 요리에 사용하면 맛을 포기하지 않으면서도 더 건강한 선택을 할 수 있습니다. 다양한 천연 감미료와 레시피를 실험하여 완벽한 균형을 찾아보세요.

Chapter 12. 음료와 천연 감미료

많은 사람이 탄산음료, 레모네이드, 과일 주스와 같은 단 음료를 좋아하지만, 이러한 음료에는 첨가당이 많이 들어 있는 경우가 많습니다. 좋은 소식은 음료에 들어가는 기존 설탕 대신 더 건강한 대안으로 사용할 수 있는 천연 감미료가 많이 있다는 것입니다. 이 하위 장에서는 음료에 사용할 수 있는 최고의 천연 감미료 몇 가지와 그 효능, 사용 방법에 대해 알아보겠습니다.

*스테비아

스테비아는 스테비아 레바우디아나 식물의 잎에서 추출한 천연 감미료입니다. 설탕보다 200~300배 더 달기 때문에 조금만 넣어도 단맛을 느낄 수 있습니다. 스테비아는 칼로리가 제로이며 혈당 수치에 영향을 미치지 않으므로 당뇨병 환자에게도 안전합니다. 스테비아는 차, 레모네이드, 스무디와 같은 음료에 사용하면 좋습니다.

*꿀

꿀은 꿀벌이 꽃의 꿀에서 생산한 천연 감미료입니다. 꿀은 항산화 물질이 풍부하고 항균성이 있습니다. 꿀은 설탕보다 단맛이 강하기 때문에 음료에 단맛을 내기 위해 더 적은 양이 필요합니다. 꿀은 음료에 깊이와 복합성을 더하는 독특한 풍미를 가지고 있습니다. 하지만 꿀은 칼로리가 높으므로 적당히 섭취해야 합니다.

*메이플 시럽

메이플 시럽은 단풍나무 수액으로 만든 천연 감미료입니다. 항산화제, 비타민, 망간, 아연, 칼슘을 포함한 미네랄이 풍부합니다. 메이플 시럽은 커피나 차와 같은 따뜻한 음료에 잘 어울리는 독특한 풍미를 가지고 있습니다. 또한 스무디, 밀크셰이크, 칵테일에 넣어도 좋은 감미료입니다.

*코코넛 슈가

코코넛 설탕은 코코넛 야자수 수액에서 추출한 천연 감미료입니다. 코코넛 설탕은 일반 설탕보다 과당 함량이 낮고 혈당 지수가 낮아 혈당 수치를 급격하게 상승시키지 않습니다. 코코넛 설탕은 캐러멜과 같은 풍미가 있어 아이스 커피나 핫 초콜릿과 같은 음료에 잘 어울립니다.

*아가베 넥타

아가베 넥타는 아가베 식물에서 추출한 천연 감미료입니다. 설탕보다 단맛이 강하기 때문에 음료에 단맛을 내는 데 필요한 양이 적습니다. 아가베 넥타는 혈당 지수가 낮고 혈당 수치를 급격히 상승시키지 않습니다. 아가베 꿀은 순하고 중성적인 맛으로 대부분의 음료에 잘 어울립니다.

음료에 천연 감미료를 사용할 때는 몇 가지 중요한 팁을 염두에 두어야 합니다:

1. 소량으로 시작하세요: 천연 감미료는 설탕보다 단맛이 강한 경우가 많으므로 원하는 단맛을 얻기 위해 많은 양이 필요하지 않을 수 있습니다. 소량으로 시작하여 취향에 맞게 양을 조절하세요.

2. 칼로리에 유의하세요: 천연 감미료는 설탕보다 건강에 좋지만 여전히 칼로리가 포함되어 있습니다. 적당히 사용하세요.

3. 풍미 프로파일을 고려하세요: 천연 감미료는 음료에 깊이 있고 복합적인 맛을 더할 수 있는 독특한 풍미를 가지고 있습니다. 다양한 감미료를 실험하여 자신의 입맛에 가장

잘 맞는 감미료를 찾아보세요.

4. 라벨을 확인하세요: 일부 천연 감미료는 다른 성분과 혼합되어 있을 수 있으므로 항상 라벨을 읽고 순수한 제품인지 확인하세요.

결론적으로 천연 감미료는 음료에 들어가는 기존 설탕을 대체할 수 있는 훌륭한 대안입니다. 천연 감미료는 다양한 건강상의 이점을 제공하며 좋아하는 음료에 깊이와 복합성을 더할 수 있습니다. 천연 감미료를 사용할 때는 칼로리를 염두에 두고 소량부터 시작하세요. 다양한 감미료를 실험해보고 자신에게 가장 잘 맞는 감미료를 찾아보세요.

Chapter 13. 천연 감미료가 환경에 미치는 영향

설탕 과다 섭취로 인한 건강 위험에 대한 인식이 높아지면서 많은 사람이 더 건강한 대안으로 천연 감미료를 찾고 있습니다. 그러나 이러한 감미료가 환경에 미치는 영향도 고려하는 것이 중요합니다.

꿀이나 메이플 시럽과 같은 일부 천연 감미료는 수세기 동안 사용되어 왔으며 일반적으로 가공 설탕에 비해 환경에 미치는 영향이 낮은 것으로 알려져 있습니다. 그러나 이러한 감미료의 생산은 여전히 환경에 부정적인 영향을 미칠 수 있습니다.

예를 들어, 꿀 생산은 야생 꿀벌 개체수에 부정적인 영향을 미칠 수 있습니다. 꿀벌은 전 세계 많은 농작물의 수분을 돕는 중요한 역할을 하지만 서식지 손실, 살충제 사용 및 기타 요인으로 인해 꿀벌의 개체수가 감소하고 있습니다. 대규모 벌꿀 생산은 야생 꿀벌과 자원을 놓고 경쟁하고 질병을 퍼뜨려 꿀벌 개체 수 감소에 기여할 수 있습니다.

메이플 시럽 생산도 환경에 영향을 미칠 수 있습니다. 단풍나무를 두드려 수액을 끓이는 과정에는 일반적으로 나무나 화석

연료를 태우는 등 상당한 양의 에너지가 필요합니다. 또한 메이플 시럽에 대한 수요가 증가함에 따라 메이플 나무 농장이 확장되어 자연 서식지가 사라지고 생태계가 교란될 수 있습니다.

최근 몇 년 동안 아가베나 코코넛 설탕과 같은 다른 천연 감미료가 점점 인기를 얻고 있습니다. 그러나 이러한 감미료의 생산은 환경에 부정적인 영향을 미칠 수 있습니다.

예를 들어, 아가베는 주로 멕시코에서 재배되며 생산에 상당한 양의 물이 필요합니다. 용설란에 대한 높은 수요로 인해 일부 지역에서는 수자원이 과도하게 사용되어 물 부족과 환경 파괴로 이어지고 있습니다.

코코넛 설탕은 주로 동남아시아에서 생산되며, 코코넛 설탕 생산은 지역 생태계에 부정적인 영향을 미칠 수 있습니다. 코코넛 나무는 상당한 양의 물과 영양분을 필요로 하며, 코코넛 설탕에 대한 수요 증가는 삼림 벌채, 토양 침식, 수질 오염으로 이어질 수 있습니다.

천연 감미료가 환경에 미치는 영향을 줄이려면 지속 가능한 방식으로 공급되고 생산된 제품을 선택하는 것이 중요합니다. 유기농 또는 공정 무역 인증을 받은 제품은 환경 및 사회적 기준이 더 높은 경우가 많으므로 이를 찾아보세요. 또한 과도한 감미료 섭취는 개인 건강과 환경 모두에 부정적인 영향을 미칠 수 있으므로 천연 감미료든 다른 감미료든 전반적인 감미료 섭취를 줄이는 것이 중요합니다.

결론적으로, 천연 감미료는 가공 설탕보다 건강에 좋은 대안처럼 보일 수 있지만 환경에 미치는 영향도 고려하는 것이 중요합니다. 지속 가능한 방식으로 공급되고 생산된 감미료를 선택하고 전반적인 소비량을 줄이면 더 건강한 지구와 더 건강한 라이프스타일을 지원할 수 있습니다.

Chapter 14. 천연 감미료로 전환하기

설탕 섭취를 줄이고 싶다면 천연 감미료로 전환하는 것이 좋은 출발점이 될 수 있습니다. 스테비아는 가장 인기 있는 천연 감미료 중 하나이며, 설탕 섭취를 줄이려는 사람들 사이에서 점점 더 인기를 얻고 있습니다. 이 장에서는 스테비아의 장점과 식단에 스테비아를 추가하는 방법에 대해 알아보겠습니다.

*스테비아란 무엇인가요?

스테비아는 스테비아 레바우디아나 식물의 잎에서 추출한 천연 감미료입니다. 남미에서 수세기 동안 차와 기타 음식의 단맛을 내기 위해 사용되어 왔습니다. 스테비아는 설탕보다 **훨씬** 단맛이 강하고 칼로리가 제로이므로 설탕 섭취를 줄이고자 하는 사람들에게 매력적인 대안이 될 수 있습니다.

*스테비아의 효능

스테비아는 설탕을 대체할 수 있는 매력적인 건강상의 이점이 많습니다. 다음은 몇 가지 예시입니다:

- **혈당 수치 저하**

연구에 따르면 스테비아는 혈당 수치를 낮추는 데 도움이 될 수 있어 당뇨병 환자나 당뇨병 발병 위험이 있는 사람에게 훌륭한 선택이 될 수 있습니다.

- **혈압을 낮출 수 있습니다.**

연구에 따르면 스테비아는 고혈압 환자의 혈압을 낮추는 데 도움이 될 수 있다고 합니다.

- **항산화제 함유**

스테비아에는 활성 산소로 인한 세포 손상으로부터 세포를 보호하는 데 도움이 되는 여러 가지 항산화제가 함유되어 있습니다.

- **체중 감량에 도움이 될 수 있습니다.**

스테비아는 칼로리가 제로이므로 칼로리 섭취를 줄이고 체중 감량에 도움이 될 수 있습니다.

*식단에 스테비아 포함하기

스테비아는 매우 다재다능하며 음식과 음료의 단맛을 내기 위해 다양한 방법으로 사용할 수 있습니다. 다음은 스테비아를 식단에 포함시키는 몇 가지 방법입니다:

- **커피나 차에 첨가하기**

스테비아는 칼로리를 추가하지 않고도 커피나 차에 단맛을 더하는 데 사용할 수 있습니다.

- **제빵에 사용**

스테비아는 베이킹에 설탕 대신 사용할 수 있습니다. 하지만 스테비아는 설탕보다 훨씬 달기 때문에 사용량을 조절해야 할 수도 있습니다.

- **과일이나 시리얼에 뿌려 먹기**

스테비아는 칼로리를 추가하지 않고도 과일이나 시리얼에 단맛을 더하는 데 사용할 수 있습니다.

- **샐러드 드레싱에 사용**

스테비아는 칼로리를 추가하지 않고 샐러드 드레싱에 단맛을 더하는 데 사용할 수 있습니다.

- **나만의 스테비아 단맛 음료 만들기**

물, 차 또는 기타 음료에 스테비아를 첨가하여 나만의 스테비아 단맛 음료를 만들 수 있습니다.

*스테비아 섭취 시 주의사항

스테비아는 일반적으로 안전한 것으로 간주되지만 몇 가지 주의해야 할 사항이 있습니다:

- **적당히 사용하기**

다른 감미료와 마찬가지로 스테비아도 적당히 사용하는 것이 중요합니다. 칼로리가 없는 감미료이긴 하지만, 다량을 섭취하면 건강에 부정적인 영향을 미칠 수 있습니다.

- **평판이 좋은 출처에서 구매하기**

스테비아를 구입할 때는 평판이 좋은 출처에서 구입하여 고품질의 제품을 구입하는 것이 중요합니다.

- **잠재적인 부작용에 유의하세요**

스테비아는 일반적으로 안전한 것으로 간주되지만, 일부 사람들은 복부 팽만감, 메스꺼움, 현기증과 같은 부작용을 경험할 수 있습니다.

- **사용하기 전에 의사와 상의하세요.**

스테비아 사용에 대해 우려되는 점이 있다면 식단에 포함시키기 전에 항상 의사와 상담하는 것이 좋습니다.

결론

설탕 섭취량을 줄이고 싶다면 스테비아와 같은 천연 감미료로 전환하는 것이 좋은 시작점입니다. 스테비아는 여러 가지 건강상의 이점이 있으며 음식과 음료의 단맛을 내기 위해 다양한 방법으로 사용할 수 있습니다. 그러나 스테비아를 적당히 사용하고 평판이 좋은 출처에서 구입하여 다음과 같은 사항을 확인하는 것이 중요합니다.

03
설탕 대체제

Chapter 15. 설탕 대체제란?

이전 장에서 논의했듯이 과도한 설탕 섭취는 다양한 건강 문제를 일으킬 수 있습니다. 따라서 많은 사람이 부정적인 영향 없이 단맛을 낼 수 있는 설탕 대체재를 찾고 있습니다. 이 장에서는 식음료 제품에 일반적으로 사용되는 몇 가지 설탕 대체 식품을 소개합니다.

감미료라고도 하는 설탕 대체물은 음식과 음료에 단맛을 내기 위해 사용되는 물질입니다. 인공 감미료, 천연 감미료, 설탕 알코올 등 다양한 종류의 설탕 대체물이 있습니다. 감미료의 각 유형에는 고유한 특성과 장점이 있습니다.

비영양 감미료라고도 하는 인공 감미료는 설탕보다 훨씬 달지만 칼로리가 없거나 매우 적은 합성 물질입니다. 인공 감미료는 다이어트 제품, 저칼로리 음료, 무설탕 껌 등에 널리 사용됩니다. 대표적인 인공 감미료로는 아스파탐, 사카린, 수크랄로스 등이 있습니다.

천연 감미료는 이름에서 알 수 있듯이 식물이나 과일과 같은 천연 원료에서 추출한 것입니다. 천연 감미료는 덜 가공되고 일부 영양소를 함유하고 있기 때문에 일반적으로 인공 감미료보다 건강에 더 좋은 것으로 간주됩니다. 천연 감미료의 예로는 스테비아, 몽크 프두트, 꿀 능이 있습니다.

폴리올이라고도 하는 당알코올은 설탕과 유사한 화학 구조를 가진 탄수화물의 일종입니다. 일반적으로 무설탕 사탕, 츄잉껌 및 단맛이 필요한 기타 제품에 사용됩니다. 당알코올은 설탕보다 칼로리가 적고 혈당 수치를 갑자기 급상승시키지 않습니다. 당알코올의 예로는 자일리톨, 에리스리톨, 소르비톨 등이 있습니다.

설탕 대체 식품은 일반적으로 섭취하기에 안전한 것으로 간주되지만, 일부 사람들은 특정 감미료에 알레르기 반응이나 소화 문제를 일으킬 수 있다는 점에 유의해야 합니다. 설탕 대체 식품을 사용하기 전에 항상 식품 라벨을 읽고 의료 전문가와 상담하는 것이 좋습니다.

Chapter 16. 인공 감미료

인공 감미료는 식음료 업계에서 설탕의 저칼로리 대체물로 널리 사용되는 합성 설탕 대체물입니다. 인공 감미료는 칼로리를 추가하지 않고 설탕의 단맛을 내도록 설계되어 칼로리 섭취를 줄이고 체중을 관리하려는 사람들에게 인기가 높습니다. 가장 일반적으로 사용되는 인공 감미료로는 아스파탐, 사카린, 수크랄로스, 아세설팜-K 등이 있습니다.

아스파탐은 가장 널리 사용되는 인공 감미료 중 하나이며 많은 다이어트 음료, 껌, 저칼로리 식품에 들어 있습니다. 페닐알라닌과 아스파르트산이라는 두 가지 아미노산을 결합하여 만들어집니다. 아스파탐은 일반적으로 대부분의 사람이 섭취해도 안전한 것으로 간주되지만, 일부 연구에서는 아스파탐 섭취가 두통, 발작, 우울증과 같은 특정 건강 문제의 위험 증가와 관련이 있는 것으로 나타났습니다.

사카린은 한 세기 이상 사용되어 온 또 다른 일반적으로 사용되는 인공 감미료입니다. 사카린은 다이어트 음료, 탁상용 감미료 및 기타 저칼로리 식품에서 흔히 볼 수 있습니다. 한때 사카린은 잠재적인 발암 물질로 간주되었지만, 최근 연구에 따르면 사카린 섭취와 암 발생 사이의 연관성에 대한 명확한 증거는 발견되지 않았습니다.

수크랄로스는 스플렌다라는 브랜드로 판매되는 새로운 인공 감미료입니다. 설탕을 화학적으로 변형하여 설탕보다 600배 더 단 화합물을 만들어냅니다. 수크랄로스는 일반적으로 대부분의 사람들이 섭취하기에 안전한 것으로 간주되지만, 일부 연구에서는 장내 세균의 균형을 깨뜨려 장 건강에 부정적인 영향을 미칠 수 있다고 합니다.

아세설팜-K는 저칼로리 식품과 음료에 흔히 사용되는 또 다른 인공 감미료입니다. 아세설팜-K는 아세토아세트산과 칼륨을 결합하여 만들어집니다. 아세설팜-K는 일반적으로 대부분의 사람이 섭취해도 안전한 것으로 간주되지만, 일부 연구에 따르면 갑상선에 부정적인 영향을 미칠 수 있다고 합니다.

인공 감미료는 널리 사용되고 있음에도 불구하고 안전성과 잠재적인 건강 위험에 대한 우려로 인해 여전히 논란의 여지가 있습니다. 대부분의 연구에 따르면 인공 감미료는 일반적으로 적당량을 섭취해도 안전하지만, 일부 연구자들은 이러한 화합물의 장기적인 영향은 아직 알려지지 않았으며 잠재적인 건강 영향을 완전히 이해하려면 더 많은 연구가 필요하다고 주장합니다.

전반적으로 인공 감미료는 체중을 관리하거나 설탕 섭취를 줄이려는 사람들에게 유용한 도구가 될 수 있지만, 적당히 섭취하고 인공 감미료 사용과 관련된 잠재적인 건강 위험을 인지하는 것이 중요합니다. 다른 음식이나 음료와 마찬가지로 인공 감미료 또는 기타 식품 성분의 안전성에 대해 우려되는 점이 있으면 항상 라벨을 읽고 의료 전문가와 상담하는 것이 좋습니다.

다음 하위 장에서는 각 유형의 대체 설탕과 그 장단점, 요리 및 베이킹에 사용하는 방법에 대해 자세히 알아볼 것입니다.

Chapter 17. 천연 저칼로리 감미료

건강에 대한 관심이 높아지면서 많은 사람이 설탕 대신 칼로리가 낮고 인공 감미료보다 더 천연적인 대안을 찾고 있습니다. 다행히도 설탕이 건강에 미치는 부정적인 영향 없이 음식과 음료의 단맛을 내는 데 사용할 수 있는 몇 가지 천연 저칼로리 감미료가 있습니다. 이 하위 장에서는 가장 인기 있는 천연 저칼로리 감미료 몇 가지와 그 효능에 대해 알아보겠습니다.

*스테비아

스테비아는 남아메리카가 원산지인 스테비아 식물의 잎에서 추출한 천연 감미료입니다. 설탕보다 최대 300배 더 달지만 칼로리가 0이며 혈당 수치에 영향을 미치지 않습니다. 따라서 당뇨병 환자나 체중을 관리하는 사람들에게 인기가 높습니다.

여러 연구에 따르면 스테비아는 혈당 수치를 낮추고 인슐린 민감성을 개선하여 제2형 당뇨병 환자에게 유망한 감미료가 될 수 있습니다. 또한 스테비아는 항산화 및 항염증 작용을 하는 것으로 밝혀져 심장 건강에도 도움이 될 수 있습니다.

스테비아는 액체, 분말, 과립 등 여러 가지 형태로 제공됩니다. 음료, 제과류, 심지어 짭짤한 요리에도 단맛을 내는 데 사용할 수 있습니다.

*몽크 프루트

몽크 프루트는 로한궈라고도 하며 중국 남부가 원산지인 작고 둥근 과일입니다. 중국 전통 의학에서 건강상의 이점을 위해 자주 사용되며, 수세기 동안 단맛을 내는 효능이 알려져 왔습니다. 수도사 열매 추출물은 설탕보다 최대 300배 더 달지만 칼로리는 0칼로리입니다.

수도사 열매 추출물은 스테비아와 마찬가지로 혈당 수치에 영향을 미치지 않으므로 당뇨병 환자에게 적합한 감미료입니다. 또한 항산화 및 항염 작용을 하는 것으로 밝혀져 심장 건강에도 도움이 될 수 있습니다.

몽크 과일 추출물은 액체와 분말 형태로 제공되며 음료, 제과류 및 기타 식품의 단맛을 내는 데 사용할 수 있습니다.

*에리스리톨

에리스리톨은 일부 과일과 발효 식품에서 자연적으로 발생하는 당 알코올입니다. 단맛은 설탕과 비슷하지만 칼로리는 6%에 불과하며 혈당 수치에 영향을 미치지 않습니다.

에리스리톨은 무설탕 및 저탄수화물 식품뿐만 아니라 치약이나 구강 청결제와 같은 구강 위생 제품에도 자주 사용됩니다. 다른 당 알코올에 비해 소화 문제를 일으킬 위험이 낮은 것으로 밝혀져 위장이 민감한 사람에게도 좋은 선택입니다.

에리스리톨은 과립 및 분말 형태로 제공되며 음료와 제빵 제품의 단맛을 내는 데 사용할 수 있습니다.

*자일리톨

자일리톨은 일부 과일과 채소에서 자연적으로 발생하는 또 다른 당 알코올입니다. 설탕과 비슷한 수순의 단맛을 내며 칼로리는 약 40% 낮습니다. 자일리톨은 입안에서 박테리아의 성장을 억제하는 능력으로 인해 무설탕 껌과 구강 위생 제품에 일반적으로 사용됩니다.

자일리톨은 일반적으로 안전하지만, 다량 섭취할 경우 일부 사람들에게 소화 문제를 일으킬 수 있습니다. 또한 개에게 독성이 있으므로 반려동물이 있는 가정에서는 사용하지 않는 것이 좋습니다.

자일리톨은 과립과 분말 형태로 판매되며 음료와 제과류의 단맛을 내는 데 사용할 수 있습니다.

*알룰로스

알룰로스는 일부 과일과 채소에 소량 자연적으로 존재하는 희

귀한 설탕입니다. 단맛은 설탕과 비슷하지만 칼로리는 10%에 불과하며 혈당 수치에 영향을 미치지 않습니다.

알룰로스는 인슐린 감수성을 개선하고 제2형 당뇨병의 위험을 줄이는 등 여러 가지 건강상의 이점이 있는 것으로 밝혀졌습니다. 또한 항산화 및 항염증 효과도 있는 것으로 나타났습니다.

알룰로스는 과립과 분말 형태로 판매되고 있습니다.

사람들이 설탕과 인공 감미료 대신 건강한 대안을 찾으면서 천연 감미료의 인기가 점점 높아지고 있습니다. 천연 감미료는 몇 가지 이점을 제공하지만 장단점을 이해하는 것이 중요합니다.

천연 감미료의 주요 장점 중 하나는 설탕보다 칼로리가 낮고 혈당 수치에 동일한 영향을 미치지 않는다는 것입니다. 예를 들어, 스테비아는 칼로리가 0이고 혈당 수치를 올리지 않는 천연 감미료로 당뇨병 환자나 체중을 관리하는 사람들에게 인기 있는 감미료입니다. 또 다른 천연 감미료인 수도사 열매 추출물도 칼로리가 제로이며 당뇨병 환자에게 안전한 것으로 간주됩니다.

천연 감미료는 칼로리가 낮을 뿐만 아니라 다른 건강상의 이점을 제공할 수 있습니다. 예를 들어 꿀에는 항산화제가 함유되어 있으며 항균 효과가 있는 것으로 나타났습니다. 메이플 시럽에는 아연과 망간과 같은 미네랄이 함유되어 있습니다. 그러나 이러한 건강상의 이점은 종종 소량으로 존재하므로 주요 영양소 공급원으로 의존해서는 안 된다는 점에 유의하는 것이 중요합니다.

이러한 장점에도 불구하고 천연 감미료에는 몇 가지 단점도 있습니다. 주요 우려 사항 중 하나는 잠재적인 건강상의 이점을 제거하는 방식으로 가공될 수 있다는 것입니다. 예를 들어, 일부 유형의 꿀은 고온에서 가공되어 항산화 및 항균 성분이 파괴될 수 있습니다. 또한 일부 천연 감미료는 개인에 따라 복부 팽만이나 설사와 같은 소화 문제를 일으킬 수 있습니다.

천연 감미료의 또 다른 단점은 설탕이나 인공 감미료보다 가격이 비쌀 수 있다는 것입니다. 예를 들어, 순수한 메이플 시럽한 병은 설탕 한 봉지나 인공 감미료 한 병보다 훨씬 더 비쌀 수 있습니다. 따라서 예산이 빠듯한 사람들은 천연 감미료를 식단에 포함시키는 것이 어려울 수 있습니다.

Chapter 18. 당 알코올(Sugar Alcohols)

당알코올은 설탕 대용품으로 널리 사용되는 감미료입니다. 당 알코올은 무설탕 껌, 사탕 및 "당뇨 친화적" 또는 "저탄수화물"로 판매되는 기타 제품에서 흔히 발견됩니다. 당알코올의 예로는 자일리톨, 에리스리톨, 소르비톨 등이 있습니다.

당알코올의 장점 중 하나는 설탕보다 칼로리가 낮아 칼로리 섭취를 줄이려는 사람들에게 인기가 높다는 점입니다. 또한 일반 설탕보다 충치를 유발할 가능성이 적습니다.

그러나 설탕 알코올에도 단점이 없는 것은 아닙니다. 한 가지 잠재적인 문제는 특히 다량 섭취할 경우 복부 팽만, 가스, 설사 등의 소화 문제를 일으킬 수 있다는 것입니다. 이는 소장에서 완전히 흡수되지 않고 소화되지 않은 당알코올이 대장으로 넘어가 박테리아에 의해 발효될 수 있기 때문입니다.

또한 자일리톨과 같은 일부 당알코올은 다량 섭취할 경우 반려견에게 독성이 있을 수 있습니다. 따라서 당 알코올이 함유된 제품은 반려동물의 손이 닿지 않는 곳에 보관하는 것이 중요합니다.

또한 당 알코올이 모든 사람에게 적합하지 않을 수 있다는 점도 주목할 가치가 있습니다. 예를 들어, 과민성 대장 증후군 (IBS)이있는 사람들은 설탕 알코올을 섭취하면 증상이 악화 될 수 있습니다. 또한 일부 사람들은 특정 당 알코올에 알레르기 반응을 보일 수 있습니다.

전반적으로 당알코올은 일부 사람들에게 유용한 설탕 대용품이 될 수 있지만, 만능 해설색는 아닙니다. 잠재적인 부작용을 고려하고 적당히 사용하는 것이 중요합니다. 다른 식단 변화와 마찬가지로, 식단을 크게 변경하기 전에 항상 의료 전문가와 상담하는 것이 좋습니다.

Chapter 19. 코코넛 설탕과 기타 천연 감미료

코코넛 설탕과 기타 천연 감미료는 최근 몇 년 동안 전통적인 설탕의 대안으로 점점 인기를 얻고 있습니다. 이러한 감미료는 혈당 지수가 낮고 영양소 함량이 높은 등 다양한 이점을 제공하며 다양한 레시피에 사용할 수 있습니다.

코코넛 설탕은 코코넛 야자나무의 수액에서 추출한 천연 감미료입니다. 캐러멜과 같은 풍미가 있으며 베이킹과 요리에서 백설탕을 일대일로 대체하는 용도로 자주 사용됩니다. 코코넛 설탕은 백설탕보다 혈당 지수가 낮기 때문에 혈당 수치가 천천히 상승합니다. 또한 칼륨과 철분과 같은 일부 영양소도 함유하고 있습니다.

또 다른 인기 있는 천연 감미료인 꿀은 수천 년 동안 천연 감미료와 건강상의 이점으로 사용되어 왔습니다. 꿀에는 항산화 물질이 풍부하고 항균성이 있습니다. 또한 꿀은 좋은 에너지 공급원이며 샐러드 드레싱, 매리 네이드, 제과류 등 다양한 레시피에 사용할 수 있습니다.

메이플 시럽은 베이킹과 요리에서 백설탕 대신 자주 사용되는 또 다른 천연 감미료입니다. 메이플 시럽은 단풍나무 수액으로 만들어지며 독특하고 달콤한 풍미가 있습니다. 메이플 시럽은 또한 망간과 아연과 같은 항산화제와 미네랄의 좋은 공급원입니다.

대추야자 설탕은 대추야자를 탈수하고 갈아서 만든 또 다른 천연 감미료입니다. 캐러멜과 같은 독특한 풍미가 있으며 제빵에 자주 사용됩니다. 대추야자 설탕은 섬유질과 칼륨, 마그네슘과 같은 영양소가 풍부합니다.

스테비아는 스테비아 레바우디아나 식물의 잎에서 추출한 천연 감미료입니다. 설탕보다 훨씬 단맛이 강하기 때문에 소량만 필요합니다. 스테비아는 혈당 수치에 미치는 영향이 미미하며 저탄수화물 및 당뇨병 친화적인 레시피에 자주 사용됩니다. 그러나 일부 사람들은 쓴 뒷맛이 있다고 생각합니다.

전반적으로 천연 감미료는 혈당 지수가 낮고 영양소 함량이 높은 등 기존 설탕에 비해 다양한 이점을 제공합니다. 다양한 레시피에 사용할 수 있으며 전반적인 설탕 섭취량을 줄이는 데 도움이 될 수 있습니다. 그러나 천연 감미료는 여전히 첨가당 공급원이며 과다 섭취하면 건강 문제를 일으킬 수 있으므로 적당히 사용하는 것이 중요합니다.

Chapter 20. 과일 및 채소 주스

과일 및 채소 주스는 고유의 단맛과 영양학적 이점으로 인해 인기 있는 천연 설탕 대체 식품입니다. 하지만 주스에도 과당과 같은 천연 당이 다량 함유되어 있어 혈당 수치에 영향을 미칠 수 있다는 점에 유의해야 합니다.

영국 영양학 저널에 발표된 한 연구에 따르면 과일 주스를 섭취하는 것은 제2형 당뇨병 발병 위험 증가와 관련이 있지만, 과일을 통째로 섭취하는 것은 그렇지 않은 것으로 나타났습니다. 이는 통과일에는 섬유질이 함유되어 있어 당분이 혈류로 흡수되는 속도를 늦추고 혈당 급등을 예방할 수 있기 때문일 수 있습니다.

약용 식품 저널에 발표된 또 다른 연구에 따르면 비트, 당근, 셀러리로 만든 야채 주스를 섭취하면 대사증후군이 있는 과체중 성인의 인슐린 감수성이 개선되고 염증이 감소하는 것으로 나타났습니다. 이는 채소 주스가 혈당 문제가 있는 사람에게 잠재적인 이점이 있을 수 있음을 시사합니다.

설탕 대신 과일과 채소 주스를 선택할 때는 설탕과 방부제가 첨가되지 않은 신선한 유기농 제품을 선택하는 것이 중요합니다. 고품질 주스기로 집에서 주스를 만드는 것도 신선하고 설탕이 첨가되지 않은 주스를 얻을 수 있는 좋은 방법입니다.

*설탕 대신 사용할 수 있는 인기 있는 과일 및 채소 주스는 다음과 같습니다:

- 비트 주스: 비트 주스: 비트 주스에는 천연 당분이 풍부한 뿐만아니라 질산염이 함유되어 있어 혈류를 개선하고 혈압을 낮추는 것으로 나타났습니다.

- 당근 주스: 당근 주스는 달콤하고 베타카로틴이 함유되어 있어 항산화 및 항염증에 도움이 될 수 있습니다.

- 녹즙: 케일, 시금치, 오이 등의 잎채소로 만든 녹즙은 당분이 적고 비타민과 미네랄이 풍부합니다.

- 레몬 주스: 레몬 주스는 물이나 다른 음료에 풍미를 더할 수 있는 훌륭한 무설탕 대안입니다.

전반적으로 과일 및 채소 주스는 균형 잡힌 식단의 일부로 적당히 섭취할 경우 건강하고 맛있는 설탕 대체 식품이 될 수 있습니다.

Chapter 21. 설탕 대체 식품으로 전환하기

설탕 섭취량을 줄이고 싶다면 설탕 대체 식품으로 바꾸는 것이 좋은 선택이 될 수 있습니다. 설탕 대체 식품은 설탕의 칼로리 없이 단맛을 낼 수 있을 뿐만 아니라 다양한 건강상 이점을 제공합니다. 하지만 설탕 대체 식품으로 전환하는 데는 다양한 옵션이 있기 때문에 선택의 폭이 넓지 않을 수 있습니다. 이 하위 장에서는 설탕을 대체할 수 있는 몇 가지 팁과 요령, 그리고 시중에서 가장 인기 있는 대체 설탕에 대해 알아보겠습니다.

*옵션 알아보기

설탕 대체 식품으로 전환하기 전에 어떤 옵션이 있는지 알아두는 것이 중요합니다. 인공 감미료부터 스테비아, 몽크 프루트 같은 천연 설탕 대체재까지 다양한 설탕 대체재가 있습니다. 각 유형의 대체 설탕에는 고유한 특성이 있으므로 조사를 통해 자신에게 가장 적합한 것을 찾는 것이 중요합니다.

*천천히 시작하기

설탕 대체 식품으로 전환하는 것은 미각에 큰 변화를 가져올 수 있으므로 천천히 시작하는 것이 중요합니다. 좋아하는 레시피의 설탕 일부를 대체 설탕으로 바꾸거나 커피나 차에 대체 설탕을 사용하는 것으로 시작하세요. 시간이 지남에 따라 식단에서 설탕을 완전히 대체할 때까지 대체 설탕의 사용량을 점차 늘릴 수 있습니다.

*다양한 맛으로 실험하기

대체 설탕의 장점 중 하나는 다양한 맛으로 제공된다는 것입니다. 예를 들어 스테비아는 플레인, 바닐라, 초콜릿 맛으로 출시되어 있으며 몽크 프루트는 다양한 과일 맛으로 출시되어 있습니다. 다양한 맛을 실험해보고 가장 마음에 드는 맛을 찾아보세요.

*숨겨진 당류 주의

설탕 대체 식품을 사용할 때에도 숨겨진 설탕을 주의하는 것이 중요합니다. 많은 가공식품과 음료에는 "건강" 또는 "저칼로리"로 판매되는 경우에도 첨가당이 들어 있습니다. 항상 라벨을 주의 깊게 읽고 의도한 것보다 더 많은 설탕을 섭취하지 않도록 주의하세요.

*설탕 대체 식품과 전체 식품을 함께 섭취하세요

설탕 대체 식품은 설탕 섭취량을 줄이는 좋은 방법이 될 수 있지만, 마법의 총알이 아니라는 점을 기억하는 것이 중요합니다. 최적의 건강을 위해서는 설탕 대체 식품과 과일, 채소, 통곡물 등 영양이 풍부한 전체 식품을 함께 섭취하는 것이 중요합니다.

설탕 대체 식품으로 전환하기 위한 몇 가지 팁을 살펴보았으니 이제 시중에서 가장 인기 있는 설탕 대체 식품 몇 가지를 살펴보겠습니다.

*스테비아

스테비아는 스테비아 레바우디아나 식물의 잎에서 추출한 천연 감미료입니다. 칼로리가 없으며 설탕보다 약 200~300배 더 달콤합니다. 스테비아는 액체, 분말, 과립 형태로 제공되며 다양한 레시피에 사용할 수 있습니다.

*몽크 프루트

뤄한궈라고도 알려진 몽크 프루트는 몽크 프루트 식물의 열매에서 추출한 천연 감미료입니다. 칼로리가 없으며 설탕보다 약

150~200배 더 달콤합니다. 몽크 후르츠는 액상, 분말, 과립 형태로 제공되며 다양한 레시피에 사용할 수 있습니다.

*에리스리톨

에리스리톨은 설탕보다 약 70% 단맛이 나는 당 알코올입니다. 그램당 칼로리가 0.2칼로리이며 무설탕 껌과 사탕에 주로 사용됩니다. 에리스리톨은 과립 형태로도 판매되며 다양한 레시피에 사용할 수 있습니다.

*자일리톨

자일리톨은 설탕과 거의 비슷한 단맛을 내는 당 알코올입니다. 자일리톨은 그램당 2.4칼로리로 무설탕 껌과 사탕에 주로 사용됩니다. 자일리톨은 과립으로도 제공됩니다.

04
대체당으로 전환하기

Chapter 22. 천연 감미료로 전환하기 위한 전략

설탕에서 천연 감미료로 전환할 때는 성공할 수 있도록 계획을 세우는 것이 중요합니다. 다음은 도움이 될 수 있는 몇 가지 전략입니다:

작은 것부터 시작하기: 식단을 한꺼번에 급격하게 바꾸면 부담스럽고 지속하기 어려울 수 있습니다. 대신 모닝 커피에 설탕 대신 꿀이나 메이플 시럽을 사용하는 등 단맛이 나는 식품 하나를 천연 감미료로 대체하는 것부터 시작하세요.

다양한 천연 감미료로 실험해 보세요: 각기 고유한 맛과 단맛을 지닌 다양한 천연 감미료가 있습니다. 다양한 옵션을 실험해보고 나와 내 가족에게 가장 잘 맞는 것을 찾아보세요. 예를 들어, 베이킹에 으깬 바나나를 천연 감미료로 사용하면 설탕을 대체할 수 있는 건강한 대안이 될 수 있습니다.

1. 좋아하는 레시피에 천연 감미료를 넣어 보세요: 많은 레시피를 설탕 대신 천연 감미료를 사용하도록 쉽게 수정할 수 있습니다. 예를 들어 홈메이드 그래놀라 레시피에 설탕 대신 대추야자를 사용해 보세요.

2. 라벨을 읽습니다: 포장 식품을 구매할 때는 라벨을 주의 깊게 읽고 숨겨진 설탕 공급원을 찾아보세요. 고과당 옥수수 시럽, 포도당, 자당과 같은 성분을 찾아보세요.

3. 가족을 참여시키세요: 천연 감미료로 전환하는 것은 가족 모두의 노력이 필요합니다. 자녀가 새로운 레시피를 고르는 데 도움을 주고 다양한 천연 감미료를 맛보게 하여 어떤 것이 가장 마음에 드는지 확인하도록 함으로써 자녀를 과정에 참여시키세요.

4. 간식도 잊지 마세요: 간식은 어린이 식단에서 숨겨진 설탕의 주요 공급원이 될 수 있습니다. 포장된 간식 대신 꿀로 만든 홈메이드 과일 스낵과 같은 천연 감미료를 사용하여 직접 간식을 만들어 보세요.

5. 인내심을 가지세요: 미각이 천연 감미료의 맛에 적응하는 데는 시간이 걸릴 수 있습니다. 새로운 맛에 익숙해지는 데 시간이 조금 걸리더라도 인내심을 갖고 포기하지 마세요.

이러한 전략을 실행하면 천연 감미료로 성공적으로 전환하고 가족 식단의 건강을 개선할 수 있습니다.

Chapter 23. 천연 감미료 식단

천연 감미료를 식사 계획에 포함하면 설탕 섭취를 줄이면서도 맛있고 포만감 있는 음식을 즐길 수 있습니다. 다음은 천연 감미료를 사용한 몇 가지 식사 아이디어와 레시피입니다:

아침 식사

하룻밤 귀리: 말린 귀리, 무가당 아몬드 우유, 치아씨드, 바닐라 추출물, 메이플 시럽이나 꿀 같은 천연 감미료를 메이슨 병에 넣고 섞어 주세요. 냉장고에 밤새 두었다가 아침에 신선한 과일을 얹어 드세요.

바나나 팬케이크: 잘 익은 바나나를 으깨서 달걀, 아몬드 가루, 베이킹 파우더, 코코넛 슈가 같은 천연 감미료와 섞어 주세요. 팬에서 조리하고 신선한 베리와 함께 제공합니다.

간식:

과일 샐러드: 베리, 키위, 망고 등 잘게 썬 과일을 함께 섞고 아가베 넥타나 메이플 시럽 같은 천연 감미료를 뿌려 드세요.

에너지 볼: 대추야자, 아몬드 버터, 말린 귀리, 꿀이나 메이플 시럽과 같은 천연 감미료를 푸드 프로세서에 넣습니다. 공 모양으로 말아서 냉장 보관하면 이동 중에도 간편하게 간식으로 즐길 수 있습니다.

*점심

퀴노아 샐러드: 퀴노아를 익혀 오이, 토마토, 아보카도 같은 다진 야채와 섞어줍니다. 올리브 오일, 레몬즙, 디종 머스터드, 꿀과 같은 천연 감미료로 만든 비네그레트로 드레싱합니다.

고구마 토스트: 고구마를 슬라이스하여 토스터에 굽습니다. 아보카도, 슬라이스 칠며주, 발사믹 글레이즈아 간은 천연 감미료를 뿌려 드세요.

*저녁 식사:

연어 구이: 올리브 오일, 레몬즙, 마늘, 꿀과 같은 천연 감미료를 섞어 연어를 재워두세요. 구운 야채와 함께 구워 제공합니다.

볶음: 닭고기나 두부를 브로콜리, 피망, 양파 등의 야채와 함께 조리합니다. 간장, 쌀 식초, 마늘, 메이플 시럽과 같은 천연 감미료로 소스를 만듭니다. 현미밥 위에 얹어 드세요.

*디저트:

초콜릿 아보카도 푸딩: 아보카도, 코코아 파우더, 아몬드 우유,

아가베 넥타나 꿀 같은 천연 감미료를 함께 블렌딩합니다. 냉장 보관하여 차갑게 제공합니다.

애플 크리스프: 얇게 썬 사과, 시나몬, 코코넛 슈가 같은 천연 감미료를 함께 섞습니다. 그 위에 롤드 오트, 아몬드 가루, 메이플 시럽 같은 천연 감미료를 섞어 올립니다. 노릇노릇해질 때까지 굽습니다.

이러한 식사 아이디어와 레시피를 가족 식단에 적용하면 설탕 섭취를 줄이면서 맛있는 음식을 즐길 수 있습니다. 가족의 입맛에 가장 잘 맞는 천연 감미료를 찾기 위해 다양한 천연 감미료를 실험해보는 것을 두려워하지 마세요.

Chapter 24. 천연 감미료를 활용한 요리법

천연 감미료로 요리하면 가공 설탕의 유해한 영향을 피하면서 요리에 단맛을 더할 수 있는 좋은 방법입니다. 다음은 천연 감미료로 요리하기 위한 몇 가지 팁과 레시피입니다:

1. 단맛 수준을 이해하세요: 천연 감미료는 가공 설탕보다 덜 달다는 점을 염두에 두는 것이 중요합니다. 따라서 같은 수준의 단맛을 내기 위해 더 많은 양을 사용해야 할 수도 있습니다. 꿀이나 메이플 시럽과 같은 일부 천연 감미료는 스테비아나 몽크 프루트와 같은 다른 감미료보다 더 강한 맛을 냅니다. 다양한 천연 감미료를 실험해보고 취향에 따라 양을 조절하세요.

2. 조리 온도를 고려하세요: 모든 천연 감미료가 고열 요리나 베이킹에 적합한 것은 아닙니다. 예를 들어, 꿀과 메이플 시럽은 고온에서 타버릴 수 있으므로 중약불에서 중불로 조리할 때 사용하는 것이 가장 좋습니다. 반면에 스테비아와 수도사 열매는 열에 안정적이므로 고열 요리와 베이킹에 사용할 수 있습니다.

3. 보완적인 풍미와 짝을 이루세요: 천연 감미료는 요리의 맛을 향상시킬 수 있는 고유한 풍미를 가지고 있습니다. 맛있고 균형 잡힌 요리를 만들려면 보완적인 맛과 페어링하는 것을 고려해 보세요. 예를 들어 메이플 시럽은 계피와 육두

구와 잘 어울리고 꿀은 생강과 레몬과 잘 어울립니다.

*천연 감미료를 사용한 레시피: 다음은 천연 감미료를 사용한 몇 가지 레시피 아이디어입니다

- 바나나 오트밀 쿠키: 잘 익은 바나나 두 개를 으깨서 귀리 1 1/2컵, 꿀 1/4컵, 소금 한 꼬집과 섞어줍니다. 혼합물을 쿠키 모양으로 만들어 350°F에서 15~20분간 굽습니다.

- 고구마 캐서롤: 중간 크기의 고구마 4개를 부드러워질 때까지 삶은 다음 메이플 시럽 1/4컵, 코코넛 오일 1/4컵, 시나몬 1 티스푼과 함께 으깨세요. 혼합물을 베이킹 접시에 옮기고 375°F에서 20-25분간 굽습니다.

- 스테비아 가당 레모네이드: 갓 짜낸 레몬즙 1/2컵, 물 4컵, 액상 스테비아 1/4티스푼을 피처에 넣고 섞습니다. 얼음 위에 따르고 신선한 민트잎으로 장식합니다.

- 허니 글레이즈드 연어: 작은 볼에 꿀 1/4컵, 간장 2큰술, 간 생강 1큰술, 다진 마늘 1쪽을 넣고 섞습니다. 혼합물을 연어 필

레에 바르고 400°F에서 12~15분간 굽습니다.

- 초콜릿 아보카도 푸딩: 잘 익은 아보카도 2개, 코코아 파우더 1/4컵, 꿀 1/4컵, 아몬드 밀크 1/4컵, 바닐라 추출물 1티스푼을 블렌더에 넣고 부드러워질 때까지 블렌딩합니다. 냉장고에서 30분 이상 식힌 후 제공합니다.

요리에 천연 감미료를 사용하면 맛은 그대로 유지하면서 건강하고 맛있는 식사를 즐길 수 있습니다.

Chapter 25. 설탕에 대한 갈망 줄이기

설탕에 대한 갈망을 줄이는 것은 천연 감미료나 설탕 대체물로 전환하는 데 있어 어렵지만 필수적인 단계일 수 있습니다. 다음은 도움이 되는 몇 가지 실용적인 팁입니다:

단백질과 건강한 지방 섭취를 늘리세요. 이러한 영양소가 풍부한 식품은 포만감과 만족감을 느끼게 하여 설탕에 대한 갈망을 줄이는 데 도움이 될 수 있습니다. 견과류, 씨앗류, 아보카도, 닭고기나 생선 같은 살코기 단백질이 그 예입니다.

1. 섬유질이 풍부한 음식을 섭취합니다. 식이섬유가 풍부한 음식은 소화하는 데 시간이 오래 걸리고 포만감을 더 오래 유지하는 데 도움이 됩니다. 섬유질의 좋은 공급원으로는 과일, 채소, 통곡물, 콩류 등이 있습니다.

2. 수분을 충분히 섭취하세요. 탈수 증상은 때때로 배고픔이나 설탕에 대한 갈망으로 오인될 수 있습니다. 하루에 최소 8잔의 물을 마시는 것을 목표로 하세요.

3. 스트레스 해소 기술을 연습합니다. 높은 스트레스 수치는 설탕에 대한 갈망을 유발할 수 있으므로 스트레스를 관리할 수 있는 방법을 찾는 것이 도움이 될 수 있습니다. 명상, 요가, 심호흡 운동 등이 그 예입니다.

4. 인공 감미료를 피하세요. 연구에 따르면 인공 감미료는 미각 선호도를 변화시키고 뇌의 보상 시스템을 방해하여 설탕에 대한 갈망을 증가시킬 수 있다고 합니다.

5. 설탕 섭취량을 서서히 줄이세요. 설탕을 완전히 끊는 것은 어려울 수 있으므로 설탕 섭취량을 서서히 줄이는 것부터 시작하세요. 설탕이 든 음료 대신 물이나 무가당 차를 마시고, 커피나 차에 첨가하는 설탕의 양을 점차 줄여보세요.

6. 건강한 대안을 찾아보세요. 꿀, 메이플 시럽, 스테비아 같은 천연 감미료로 단맛을 느껴보세요. 이러한 옵션은 칼로리가 낮고 설탕보다 혈당 지수가 낮기 때문에 혈당 수치가 급상승하거나 급격히 떨어지지 않습니다.

*다음은 천연 감미료를 사용한 건강한 스낵과 디저트의 몇 가지 예입니다:

- 꿀이나 메이플 시럽을 뿌린 과일 샐러드

- 얇게 썬 과일과 시나몬을 뿌린 그릭 요거트

- 대추야자나 꿀로 단맛을 낸 홈메이드 그래놀라 바

- 다진 견과류와 메이플 시럽을 뿌린 구운 사과

- 으깬 바나나와 꿀 또는 메이플 시럽으로 단맛을 낸 바나나 귀리 쿠키

- 아몬드 우유로 만들고 스테비아 또는 꿀로 단맛을 낸 치아 푸딩

설탕 섭취량을 점차 줄이고 천연 감미료를 식단에 포함하면 설탕에 대한 갈망을 줄이고 더 건강하고 지속 가능한 식습관으로 전환할 수 있습니다.

Chapter 26. 설탕이 숨어있는 음식

설탕은 사탕, 제과류, 탄산음료와 같은 명백한 공급원뿐만 아니라 많은 포장 및 가공 식품에도 숨어 있을 수 있습니다. 이로 인해 소비자가 설탕 섭취량을 파악하고 제한하기 어려울 수 있습니다. 이 섹션에서는 성분표에 표시되는 설탕의 다양한 이름과 숨겨진 설탕을 함유할 수 있는 몇 가지 일반적인 식품에 대해 설명합니다.

*성분표에 표시된 설탕의 이름

식품 라벨을 읽을 때 설탕이 나열될 수 있는 다양한 이름을 알아두는 것이 중요합니다. 다음은 설탕의 가장 일반적인 이름 몇 가지입니다:

1. 자당: 포도당과 과당으로 구성된 식용 설탕의 학명입니다.

2. 고과당 옥수수 시럽(HFCS): 포도당의 일부를 과당으로 전환하도록 가공한 옥수수 시럽으로 만든 감미료입니다. HFCS는 일반적으로 가공 식품 및 음료에 사용됩니다.

3. 덱스트로스: 포도당과 화학적으로 동일한 단순당.

4. 말토오스: 두 개의 포도당 분자로 구성된 설탕.

5. 포도당: 신체의 주요 에너지원인 단당류.

6. 과당: 많은 과일과 채소에 함유되어 있는 단순당입니다.

7. 유당: 우유 및 유제품에 함유된 당류.

8. 갈락토스: 우유 및 유제품에 함유된 당류.

9. 꿀: 꿀벌이 꽃꿀로 만든 천연 감미료.

10. 당밀: 설탕 정제 과정의 부산물로 제빵 제품이나 마리네 이드의 감미료로 자주 사용됩니다.

*숨겨진 설탕을 함유할 수 있는 식품

많은 포장 및 가공 식품에는 단맛이 나지 않더라도 첨가당이 함유되어 있습니다. 다음은 몇 가지 일반적인 예입니다:

1. 샐러드 드레싱: 많은 샐러드 드레싱에는 식초나 감귤 주스의 산도와 균형을 맞추기 위해 첨가당이 들어 있습니다.

2. 파스타 소스: 일부 파스타 소스에는 토마토의 산도 균형을 맞추기 위해 당분이 첨가되어 있습니다.

3. 그래놀라 바: 많은 그래놀라 바에는 풍미를 높이기 위해 당분이 첨가되어 있습니다.

4. 요거트: 맛이 첨가된 요거트에는 맛을 개선하기 위해 첨

가당이 들어 있는 경우가 많습니다.

5. 시리얼: 많은 아침 시리얼에는 어린이가 더 맛있게 먹을 수 있도록 당분이 첨가되어 있습니다.

6. 빵: 일부 유형의 빵, 특히 "건강" 또는 "통곡물"로 판매되는 빵에는 풍미를 높이기 위해 첨가당이 들어 있을 수 있습니다.

7. 과일 통조림: 통조림 과일은 종종 시럽에 포장되어 있는데, 여기에는 첨가당이 들어 있을 수 있습니다.

8. 견과류 버터: 일부 브랜드의 견과류 버터에는 맛을 개선하기 위해 설탕이 첨가되어 있습니다.

*숨겨진 설탕 공급원 줄이기

숨겨진 당류 섭취를 줄이려면 다음과 같은 몇 가지 팁을 참고하세요:

1. 식품 라벨을 주의 깊게 읽습니다: 성분표에서 설탕의 다양한 명칭을 찾아보고 설탕이 거의 또는 전혀 첨가되지 않은 제품을 선택하세요.

2. 통식품을 선택합니다: 과일, 채소, 통곡물 등 자연적으로 설탕 함량이 낮은 통식품을 선택하세요.

3. 집에서 요리하기: 집에서 요리하면 식사에 들어가는 재료를 더 잘 통제할 수 있습니다.

4. 가공식품을 피하세요: 가공식품은 자연식품보다 당분이 첨가되어 있을 가능성이 높습니다.

5. 천연 감미료를 사용합니다: 설탕이나 인공 감미료 대신 꿀, 메이플 시럽, 스테비아 같은 천연 감미료를 사용하세요.

숨겨진 설탕 공급원을 염두에 두면 정보에 입각해 식품을 선택하고 전반적인 설탕 섭취량을 줄일 수 있습니다.

Chapter 27. 대체당 관리법

설탕 함량이 높은 식단에서 천연 감미료나 설탕 대체 식품이 포함된 식단으로 전환하는 것은 어려울 수 있습니다. 다음은 전환을 관리하는 데 도움이 되는 몇 가지 팁입니다:

1. 천천히 진행하세요: 한 번에 너무 많은 변화를 시도하지 마세요. 서서히 천연 감미료나 설탕 대체 식품을 식단에 포함시키고 시간이 지남에 따라 정제 설탕 섭취를 줄이세요.

2. 더 건강한 대체 식품 찾기: 즐겨 먹는 단 음식 대신 더 건강한 대체 식품을 찾아보세요. 예를 들어 탄산음료를 좋아한다면 향이 첨가된 탄산수나 콤부차로 바꿔보세요.

3. 건강한 간식을 구비하세요: 건강에 좋은 간식을 준비해 두면 배가 고플 때 단 간식에 손이 가는 것을 방지할 수 있습니다. 신선한 과일, 견과류, 야채를 곁들인 후무스 등이 좋은 선택입니다.

4. 전체 식품에 집중하세요: 가공식품보다 자연적으로 설탕이 적게 함유된 과일, 채소, 통곡물 등의 통식품을 더 많이 섭취하도록 노력하세요.

5. 천연 감미료로 실험해 보세요: 다양한 천연 감미료를

실험해보고 가장 좋아하는 감미료를 찾아보세요. 예를 들어 스테비아나 수도사 열매보다 꿀이나 메이플 시럽의 맛을 더 선호할 수 있습니다.

6. 향신료를 사용하세요: 계피나 육두구와 같은 향신료를 사용하면 설탕을 넣지 않고도 음식에 단맛을 더할 수 있습니다.

7. 지원 받기: 마지막으로, 전환 과정에서 친구와 가족의 지지를 받는 것도 도움이 될 수 있습니다. 지원 그룹에 가입하거나 설탕을 줄이려고 노력하는 친구를 찾아보세요.

다음은 이러한 팁을 어떻게 실천할 수 있는지에 대한 몇 가지 실제 사례입니다:

규형씨는 매일 탄산음료를 마셨지만 가향 탄산수로 바꾸기로 결정했습니다. 처음에는 탄산음료의 단맛이 그리웠지만 시간이 지나면서 향이 첨가된 탄산수의 맛을 즐기게 되었습니다. 이제 탄산음료 대신 탄산수를 마시는 그녀는 속이 덜 더부룩하고 에너지가 넘친다는 것을 알게 되었습니다.

향숙씨는 베이킹을 좋아해서 설탕이 많이 들어간 디저트를 즐겨 만들곤 했습니다. 그녀는 대신 꿀과 메이플 시럽 같은 천연 감미료를 사용해 보기로 결심했습니다. 디저트가 예전보다 덜 달기는 했지만 여전히 맛있고 만족스럽다는 것을 알게 되었습니다.

지원씨는 직장에서 스트레스를 받을 때 사탕과 기타 단 음식을 간식으로 먹곤 했습니다. 그녀는 대신 신선한 과일과 견과류 같은 건강한 간식을 회사에 가져가기 시작했습니다. 그녀는 이러한 간식이 집중력과 활력을 높이는 데 도움이 된다는 것을 알게 되었고 더 이상 단 간식을 많이 찾지 않게 되었습니다.

이러한 팁을 따르고 시간이 지남에 따라 조금씩 변화를 주면 설탕 함량이 낮고 천연 감미료나 설탕 대체 식품이 포함된 식단으로 성공적으로 전환할 수 있습니다. 인내심을 갖고 새로운 맛과 풍미에 적응할 시간을 갖는 것을 잊지 마세요.

Chapter 28. 천연 감미료 사용의 잇점

설탕에서 천연 감미료 또는 설탕 대체물로 전환하면 건강과 웰빙에 많은 이점을 얻을 수 있습니다. 이 챕터에서는 천연 감미료 사용의 주요 이점과 전반적인 건강에 긍정적인 영향을 미칠 수 있는 방법에 대해 살펴봅니다.

*칼로리 섭취량 감소

천연 감미료로 전환할 때 얻을 수 있는 주요 이점 중 하나는 일반적으로 설탕보다 칼로리가 낮다는 것입니다. 이는 체중을 관리하거나 전체 칼로리 섭취량을 줄이려는 사람들에게 특히 유용할 수 있습니다. 예를 들어 설탕 대신 칼로리가 없는 천연 감미료인 스테비아를 사용하면 식사나 음료의 칼로리 함량을 크게 줄일 수 있습니다.

*혈당 조절 개선

천연 감미료 사용의 또 다른 이점은 혈당 조절을 개선하는 데 도움이 될 수 있다는 것입니다. 혈당 수치를 급격히 높이는 설탕과 달리 스테비아나 수도사 열매 추출물과 같은 천연 감미료는 혈당에 거의 또는 전혀 영향을 미치지 않습니다. 이는 당뇨병 환자나 당뇨병 발병 위험이 있는 사람에게 특히 유익할 수 있습니다.

*치아 문제 위험 감소

설탕은 충치 및 충치와 같은 치아 문제의 주요 원인입니다. 설탕 대신 천연 감미료를 사용하면 이러한 문제가 발생할 위험을 줄일 수 있습니다. 예를 들어, 일부 과일과 채소에 함유된 천연 감미료인 사일리톨은 충치 예방 효과가 있으며 치아 건강 증진에도 도움이 되는 것으로 나타났습니다.

*장 건강 개선

장 건강은 전반적인 건강 및 웰빙과 밀접한 관련이 있습니다. 일부 과일과 채소에 함유된 수용성 식이 섬유의 일종인 이눌린과 같은 천연 감미료는 유익한 장내 세균의 성장을 촉진하여 장 건강을 개선하는 데 도움이 될 수 있습니다. 이는 염증을 줄이고 면역 기능을 강화하며 소화를 개선하는 데 도움이 될 수 있습니다.

*영양소 섭취 증가

꿀이나 메이플 시럽과 같은 천연 감미료에는 비타민, 미네랄,

항산화제와 같은 영양소가 소량 함유되어 있습니다. 설탕 대신 이러한 천연 감미료를 사용하면 이러한 유익한 영양소 섭취를 늘릴 수 있습니다.

*만성 질환 위험 감소

설탕 섭취를 줄이고 천연 감미료로 전환하면 심장병, 비만, 제2형 당뇨병과 같은 만성 질환의 발병 위험을 줄이는 데 도움이 될 수 있습니다. 전반적인 설탕 섭취를 줄이면 이러한 질환의 발병 위험을 낮추고 전반적인 건강과 웰빙을 개선할 수 있습니다.

결론적으로 설탕 대신 천연 감미료나 설탕 대체 식품으로 전환하면 많은 이점이 있습니다. 여기에는 칼로리 섭취량 감소, 혈당 조절 개선, 치아 문제 위험 감소, 장 건강 개선, 영양소 섭취량 증가, 만성 질환 위험 감소 등이 포함됩니다. 천연 감미료를 식단에 포함시키고 전반적인 설탕 섭취를 줄이면 건강과 웰빙을 개선하고 맛있고 영양가 있는 식사와 간식을 즐길 수 있습니다.

Chapter 29. 결론

2023년 무설탕 대체 식품 시장은 소비자들의 건강에 대한 관심이 높아지고 과도한 설탕 섭취의 위험성에 대한 인식이 높아짐에 따라 성장세를 이어갈 것으로 예상됩니다. 부모로서 우리는 어릴 때부터 자녀에게 건강한 식습관을 심어줄 책임이 있으며, 이를 위한 한 가지 방법은 천연 감미료나 설탕 대체물로 전환하는 것입니다. 이렇게 하면 비만, 당뇨병, 충치 등 설탕 과다 섭취와 관련된 건강에 부정적인 결과를 피할 수 있습니다.

천연 감미료로 전환하는 것은 처음에는 어렵게 느껴질 수 있지만, 올바른 전략과 지원을 받으면 충분히 가능합니다. 천연 감미료를 사용한 식단 계획과 요리를 통해 가족을 위한 맛있고 건강한 식사를 만들 수 있습니다. 또한 건강한 간식을 식단에 포함시키고 수분을 충분히 섭취함으로써 설탕에 대한 갈망을 줄일 수 있습니다.

가공식품과 조미료 등 숨겨진 설탕 공급원에 대해 인지하고 식품 라벨을 주의 깊게 읽어 식료품 쇼핑 시 정보에 입각한 선택을 하는 것이 중요합니다. 이렇게 함으로써 우리 가족이 전반적인 웰빙을 증진하는 건강한 천연 재료를 섭취할 수 있도록 할 수 있습니다.

천연 감미료로 전환하면 얻을 수 있는 이점은 많습니다. 과도한 설탕 섭취와 관련된 건강 문제를 예방하는 데 도움이 될 뿐만 아니라 기분과 에너지 수준도 개선할 수 있습니다. 천연 감미료를 선택하면 설탕의 부정적인 영향 없이 우리가 좋아하는 단맛을 즐길 수 있습니다.

최근 몇 년 동안 비만율 증가와 관련 건강 문제에 대한 우려로 인해 설탕 섭취를 줄이려는 경향이 증가하고 있습니다. 이에 따라 설탕 대신 천연 또는 인공 감미료를 사용하는 것이 인기를 얻고 있습니다. 최근 주목받고 있는 감미료 중 하나는 스테비아입니다.

스테비아는 남아메리카가 원산지인 스테비아 레바우디아나 식물의 잎에서 추출한 천연 감미료입니다. 파라과이와 브라질의 원주민들은 수세기 동안 감미료와 약초로 사용해 왔습니다. 스테비아는 설탕보다 약 200~300배 더 달지만 칼로리는 0이며 혈당 수치를 올리지 않습니다.

스테비아는 청량음료, 디저트, 제과류 등 다양한 제품에서 설탕 대용품으로 점점 더 많이 사용되고 있습니다. 예를 들어, 일부 회사에서는 고과당 옥수수 시럽이나 기타 인공 감미료를 스테비아로 대체하고 있습니다. 이러한 변화는 부분적으로는 더 건강하고 자연적인 성분에 대한 소비자의 수요에 의해 주도되고 있습니다.

스테비아의 한 가지 장점은 미국 식품의약국(FDA)과 유럽 식품안전청(EFSA)과 같은 규제 기관에서 섭취해도 안전한 것으로 간주한다는 점입니다. 그러나 일부 연구에 따르면 스테비아는 감미료로 사용되는 것 외에도 잠재적인 건강상의 이점이 있을 수 있다고 합니다. 예를 들어, 스테비아는 항염증 및 항산화 효과가 있을 수 있으며 당뇨병 치료제로서의 잠재력도 있을 수 있습니다.

스테비아의 잠재적인 이점에도 불구하고 일부 비평가들은 스테비아의 안전성과 잠재적인 건강 영향에 대해 우려를 제기하고 있습니다. 일부 연구에서는 스테비아가 생식 능력에 부정적인 영향을 미치거나 호르몬 수치를 교란할 수 있다고 제안했지만, 아직 확실한 증거는 없습니다. 또한 스테비아가 함유된 제품을 섭취할 때 불쾌한 뒷맛을 느낀다는 보고도 있습니다.

전반적으로 소비자들이 기존 설탕 대신 더 건강한 대안을 찾으면서 설탕 대용품으로 스테비아의 인기는 계속 높아질 것으로 보입니다. 그러나 스테비아 및 기타 천연 또는 인공 감미료의 잠재적인 건강 영향을 완전히 이해하려면 더 많은 연구가 필요합니다. 그 동안 소비자는 이러한 제품 사용의 잠재적 위험과 이점을 인지하고 정보에 입각해 소비에 대한 결정을 내려야 합니다.

당뇨병과 비만의 유병률이 계속 증가함에 따라 설탕 섭취가 이러한 건강 문제에 중요한 역할을 한다는 사실이 점점 더 분명해지고 있습니다. 이에 따라 점점 더 많은 사람들이 설탕 섭취를 줄이고 건강을 개선하기 위한 방법으로 천연 감미료에 눈을 돌리고 있습니다.

설탕에서 천연 감미료로 전환하는 주된 이유 중 하나는 혈당 수치를 더 잘 관리하기 위해서입니다. 설탕은 포도당으로 빠르게 분해되어 혈당 수치를 급격히 상승시키는 단순 탄수화물입니다. 이는 인슐린 저항성, 제2형 당뇨병, 비만을 비롯한 여러 가지 부정적인 건강 결과를 초래할 수 있습니다. 반면 스테비아, 수도사 열매, 에리스리톨과 같은 천연 감미료는 혈당 수치가 낮기 때문에 설탕과 같은 급격한 혈당 상승을 일으키지 않습니다.

천연 감미료로 전환해야 하는 또 다른 이유는 전체 칼로리 섭취를 줄이기 위해서입니다. 설탕은 영양가가 없는 고칼로리 식품입니다. 설탕을 스테비아나 수도사 열매와 같은 저칼로리 천연 감미료로 대체하면 맛은 그대로 유지하면서 칼로리 섭취량을 줄일 수 있습니다. 이는 체중 감량이나 체중 관리를 원하는 분들에게 특히 유용할 수 있습니다.

이러한 건강상의 이점 외에도 천연 감미료는 설탕에 비해 다른 장점이 있습니다. 많은 천연 감미료는 식물성이며 최소한의 가공만 거쳤기 때문에 더 자연스럽고 환경 친화적인 선택이 될 수 있습니다. 또한 설탕과 같은 방식으로 충치를 촉진하지 않으므로 치아 건강에 더 좋은 선택이 될 수 있습니다.

설탕에서 천연 감미료로 전환하면 많은 이점이 있지만, 모든 천연 감미료가 똑같이 만들어지는 것은 아니라는 점에 유의해야 합니다. 꿀이나 메이플 시럽과 같은 일부 천연 감미료는 여전히 칼로리가 높고 혈당 급등을 유발할 수 있습니다. 아가베 꿀과 같은 다른 천연 감미료는 실제로 과당 함량이 식용 설탕보다 높아 시간이 지남에 따라 건강에 부정적인 영향을 미칠 수 있습니다.

설탕 섭취를 줄이고 천연 감미료로 전환하는 것은 특히 당뇨병이나 체중 관리에 문제가 있는 분들에게 더 나은 건강을 위한 중요한 단계가 될 수 있습니다. 그러나 천연 감미료를 신중하게 선택하고 전반적인 건강한 식단의 일부로 적당히 사용하는 것이 중요합니다.

결론적으로, 부모로서 자녀의 식단을 관리하고 건강한 식습관을 장려하는 것은 우리의 책임입니다. 천연 감미료나 설탕 대체품으로 전환하는 것이 이를 위한 한 가지 방법입니다. 우리의 선택에 주의를 기울이고 시간이 지남에 따라 작은 변화를 시도함으로써 우리 가족이 더 건강하고 행복한 삶을 살 수 있도록 도울 수 있습니다. 그러니 천연 감미료의 힘을 받아들이고 2023년을 건강한 식습관의 해로 만들어 봅시다!

Chapter 30. #별첨

우리가 즐겨찾는 대체당 리스트

Stevia

Honey

Coconut sugar

Agave nectar

Maple syrup

Monk fruit extract

Xylitol

Erythritol

Date sugar

Brown rice syrup

Molasses

Yacon syrup

Lucuma powder

Applesauce

Grape juice concentrate

Blackstrap molasses

Coconut nectar

Sorghum syrup

Allulose

Inulin

Maltitol

Fructose

Birch syrup

Barley malt syrup

Dried fruit

Fruit juice

Fruit puree

Palm sugar

Chicory root extract

Agave powder

Chapter 31. #별첨

*아이들이 좋아할 건강하고 맛있는 간식을 위한 훌륭한 옵션이 많이 있습니다. 다음은 몇 가지 제안입니다:

아몬드 버터를 곁들인 사과 슬라이스

후무스를 곁들인 낭근

혼합 베리를 곁들인 그릭 요거트

시나몬을 곁들인 에어팝 팝콘

견과류, 씨앗, 말린 과일을 넣은 홈메이드 트레일 믹스

구운 병아리콩과 바다 소금

얼린 포도

천연 감미료로 만든 바나나 오트밀 쿠키

아보카도 딥을 곁들인 채소 스틱

그릭 요거트, 냉동 과일, 시금치로 만든 스무디

아이들을 위한 간식을 선택할 때는 영양이 풍부한 통식품에 초점을 맞추고 가공식품과 설탕이 많이 들어간 간식은 제한하는 것이 중요합니다.

마치며

설탕을 대체하는 대체 당이 아니라, 천연당 본연의 맛을 즐기는 사람들이 많아지는 세상을 꿈꾸며, 건강한 식단을 위해 이 책을 만들었다.

실제 우리나라의 대체당 치환율이 대형 마트에서, 설탕의 판매량을 넘어섰다고 한다. 그 인기가 올라가고 있어 다행이다.

건강을 위한 건강한 단맛.

그 건강한 삶을 위해, **you are what you eat <내가 먹는 것이 곧 나이다>**를 명심하며 그 건강한 삶을 꼭 이룰 수 있길 바란다.

끝으로, 책을 쓰기 위한 시간을 마련해준 사랑하는 아내 수정, 깊은 잠을 자고 있는 쌍둥이 서준 서윤. 그리고 당뇨로 고생하시면서, 아들을 위해 항상 기도해주시는 어머니 양귀숙 여사, 나의 정신적 지주, 사랑하는 아빠 박성현님께 이 책을 바친다.

2023년 03월 26일 일요일, 23시 40분 박웅.